Les journalistes André Bil
André Salmon dans *Gil Blas*, écrivirent des articles narquois sur cette annonce, déclenchant dans la plupart des journeaux de France des commentaires ironiques, allant jusqu'à l'insulte (des *fumistes* !) pour l'auteur et le peintre inconnus : «Il n'était pas bon d'être un jeune authentique...» dira Blaise. A la parution de l'édition originale, aucun critique de la presse conventionnelle ne comprit que venait de naître une œuvre exceptionnelle pour l'art, pour l'édition et pour la poésie du XXe siècle à laquelle Blaise Cendrars apportait un puissant souffle rénovateur.

Cependant, dans le «grenier» de la revue d'avant-garde *Montjoie !*, du poète italien Ricciotto Canudo, on se réunissait pour lire le livre de deux mètres qui suscitait tant de réactions. «On l'avait accroché au mur. Le soir était tombé», raconte Fernand Divoire. Alors, Mme Lucy Wilhelm s'offrit à déchiffrer le poème bizarre. Elle prit une bougie et, montée sur une chaise, commença à lire, près du plafond, d'une voix sourde. Peu à peu, elle se baissa. Aux dernières strophes elle était assise au sol. «Jamais, ajouta Divoire, je n'ai ressenti une aussi profonde émotion à la lecture d'un poème...»

PREMIER LIVRE SIMULTANÉ

PROSE DU TRANSSIBERIEN ET DE LA PETITE JEANNE DE FRANCE

REPRESENTATION SYNCHROME

PEINTURE SIMULTANÉ TEXTE

Mme DELAUNAY-TERK BLAISE CENDRARS

BLAISE CENDRARS

La Prose du Transsibérien et de la Petite Jehanne de France

Couleurs simultanées de Mme DELAUNAY-TERK

TIRAGE DE LUXE No 51

De 1 à 8 pour les exemplaires parchemin

De 9 à 36 pour les exemplaires japon

De 37 à 150 pour les exemplaires simili japon

Blaise Cendrars

Sonia Delaunay-Terk

ÉDITIONS
DES
HOMMES NOUVEAUX
4, rue de Savoie, 4
PARIS
1913

ST PETERSBOURG
MOSCOU
MONGOLIE
PEKING
VLADIVOSTOK
JAPON

PROSE DU TRANSSIBÉRIEN ET DE LA PETITE JEHANNE DE FRANCE

En ce temps-là j'étais en mon adolescence
J'avais à peine seize ans et je ne me souvenais déjà plus de mon enfance
J'étais à 16 000 lieues du lieu de ma naissance
J'étais à Moscou, dans la ville de mille et trois clochers et des sept gares
Et je n'avais pas assez des sept gares et des mille et trois tours
Car mon adolescence était alors si ardente et si folle
Que mon cœur, tour à tour, brûlait comme le temple d'Éphèse ou comme la Place Rouge de Moscou
Quand le soleil se couche.
Et mes yeux éclairaient des voies anciennes
Et j'étais déjà si mauvais poète
Que je ne savais pas aller jusqu'au bout.

Le Kremlin était comme un immense gâteau tartare
Croustillé d'or
Avec les grandes amandes des cathédrales toutes blanches
Et l'or mielleux des cloches...
Un vieux moine me lisait la légende de Novgorode
J'avais soif
Et je déchiffrais des caractères cunéiformes
Puis, tout à coup, les pigeons du Saint-Esprit s'envolaient sur la place
Et mes mains s'envolaient aussi, avec des bruissements d'albatros
Et ceci, c'était les dernières réminiscences du dernier jour
Du tout dernier voyage
Et de la mer.

Pourtant, j'étais fort mauvais poète
Je ne savais pas aller jusqu'au bout
J'avais faim
Et tous les jours et toutes les femmes dans les cafés et tous les verres
J'aurais voulu les boire et les casser
Et toutes les vitrines et toutes les rues
Et toutes les maisons et toutes les vies
Et toutes les roues des fiacres qui tournaient en tourbillons sur les mauvais pavés
J'aurais voulu les plonger dans une fournaise de glaives
Et j'aurais voulu broyer tous les os

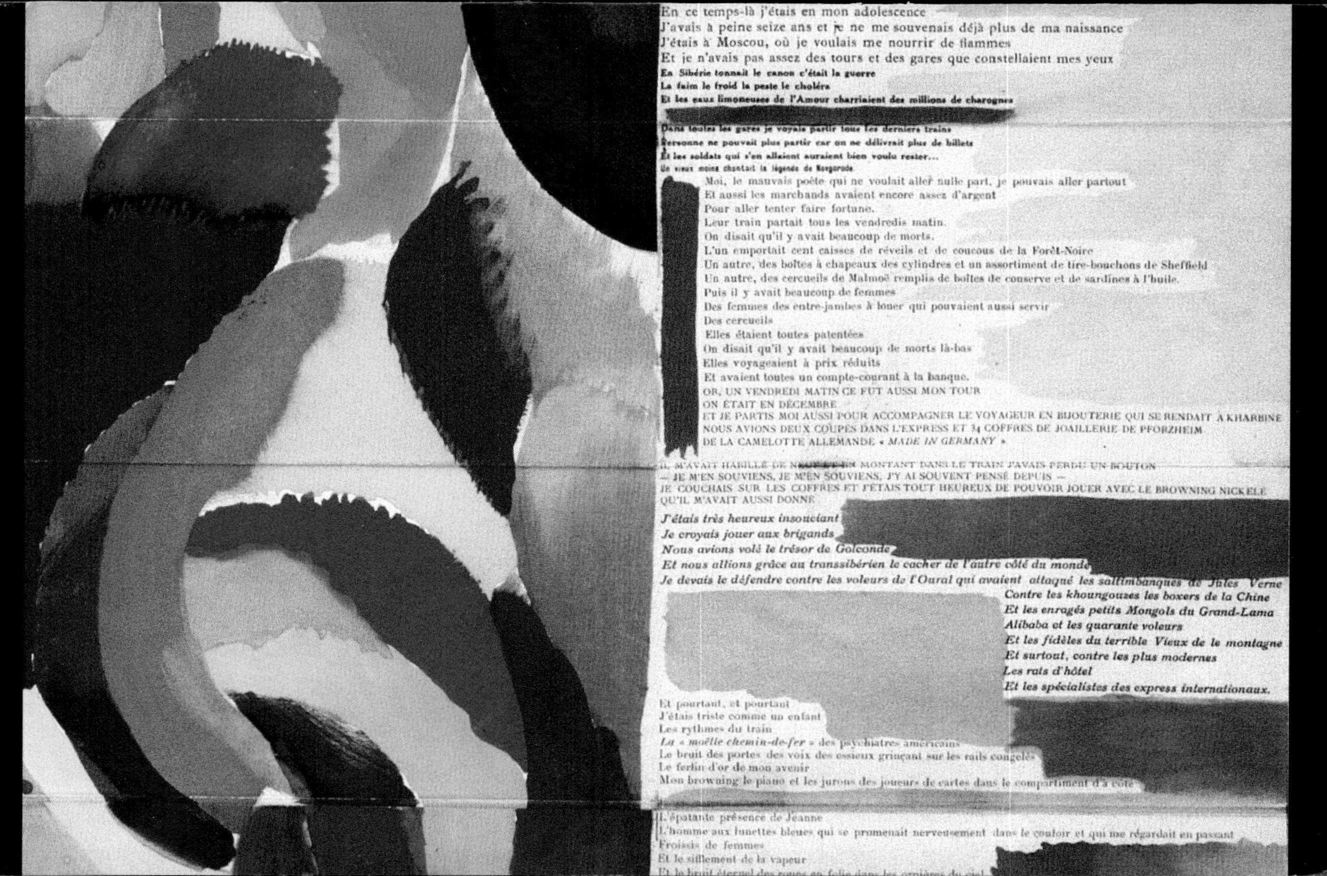

En ce temps-là j'étais en mon adolescence
J'avais à peine seize ans et je ne me souvenais déjà plus de ma naissance
J'étais à Moscou, où je voulais me nourrir de flammes
Et je n'avais pas assez des tours et des gares que constellaient mes yeux
En Sibérie tonnait le canon c'était la guerre
La faim le froid la peste le choléra
Et les eaux limoneuses de l'Amour charriaient des millions de charognes

Dans toutes les gares je voyais partir tous les derniers trains
Personne ne pouvait plus partir car on ne délivrait plus de billets
Et les soldats qui s'en allaient auraient bien voulu rester...
Un vieux moine chantait la légende de Novgorode

Moi, le mauvais poète qui ne voulait aller nulle part, je pouvais aller partout
Et aussi les marchands avaient encore assez d'argent
Pour aller tenter faire fortune.
Leur train partait tous les vendredis matin.
On disait qu'il y avait beaucoup de morts.
L'un emportait cent caisses de réveils et de coucous de la Forêt-Noire
Un autre, des boîtes à chapeaux des cylindres et un assortiment de tire-bouchons de Sheffield
Un autre, des cercueils de Malmoë remplis de boîtes de conserve et de sardines à l'huile.
Puis il y avait beaucoup de femmes
Des femmes des entre-jambes à louer qui pouvaient aussi servir
Des cercueils
Elles étaient toutes patentées
On disait qu'il y avait beaucoup de morts là-bas
Elles voyageaient à prix réduits
Et avaient toutes un compte-courant à la banque.
OR, UN VENDREDI MATIN CE FUT AUSSI MON TOUR
ON ÉTAIT EN DÉCEMBRE
ET JE PARTIS MOI AUSSI POUR ACCOMPAGNER LE VOYAGEUR EN BIJOUTERIE QUI SE RENDAIT À KHARBINE
NOUS AVIONS DEUX COUPÉS DANS L'EXPRESS ET 34 COFFRES DE JOAILLERIE DE PFORZHEIM
DE LA CAMELOTTE ALLEMANDE « *MADE IN GERMANY* »

IL M'AVAIT HABILLÉ DE N[illegible] EN MONTANT DANS LE TRAIN J'AVAIS PERDU UN BOUTON
— JE M'EN SOUVIENS, JE M'EN SOUVIENS, J'Y AI SOUVENT PENSÉ DEPUIS —
JE COUCHAIS SUR LES COFFRES ET J'ÉTAIS TOUT HEUREUX DE POUVOIR JOUER AVEC LE BROWNING NICKELÉ
QU'IL M'AVAIT AUSSI DONNÉ

J'étais très heureux insouciant
Je croyais jouer aux brigands
Nous avions volé le trésor de Golconde
Et nous allions grâce au transsibérien le cacher de l'autre côté du monde
Je devais le défendre contre les voleurs de l'Oural qui avaient attaqué les saltimbanques de Jules Verne
Contre les khoungouzes les boxers de la Chine
Et les enragés petits Mongols du Grand-Lama
Alibaba et les quarante voleurs
Et les fidèles du terrible Vieux de la montagne
Et surtout, contre les plus modernes
Les rats d'hôtel
Et les spécialistes des express internationaux.

Et pourtant, et pourtant
J'étais triste comme un enfant
Les rythmes du train
La « moëlle chemin-de-fer » des psychiatres américains
Le bruit des portes des voix des essieux grinçant sur les rails congelés
Le ferlin d'or de mon avenir
Mon browning le piano et les jurons des joueurs de cartes dans le compartiment d'à côté

L'épatante présence de Jeanne
L'homme aux lunettes bleues qui se promenait nerveusement dans le couloir et qui me regardait en passant
Froissis de femmes
Et le sifflement de la vapeur
Et le bruit éternel des roues en folie dans les ornières du ciel

L'épatante présence de Jeanne
L'homme aux lunettes bleues qui se promenait nerveusement dans le couloir et qui me regardait en passant
Froissis de femmes
Et le sifflement de la vapeur
Et le bruit éternel des roues en folie dans les ornières du ciel
Les vitres sont givrées
Pas de nature !
Et derrière, les plaines sibériennes le ciel bas et les grandes ombres des Taciturnes qui montent et qui descendent

Je suis couché dans un plaid

Bariolé
Comme ma vie
Et ma vie ne me tient pas plus chaud que ce châle
Écossais
Et l'Europe tout entière aperçue au coupe-vent d'un express à toute vapeur
N'est pas plus riche que ma vie
Ma pauvre vie

Ce châle
Effilochés sur des coffres remplis d'or
Avec lesquels je roule
Que je rêve
Que je fume
Et la seule flamme de l'univers
Est une pauvre pensée...

DU FOND DE MON CŒUR DES LARMES ME VIENNENT

SI JE PENSE, AMOUR, À MA MAITRESSE
ELLE N'EST QU'UNE ENFANT, QUE JE TROUVAI AINSI
PÂLE, IMMACULÉE, AU FOND D'UN BORDEL.

CE N'EST QU'UNE ENFANT, BLONDE, RIEUSE ET TRISTE,
ELLE NE SOURIT PAS ET NE PLEURE JAMAIS;
MAIS AU FOND DE SES YEUX, QUAND ELLE VOUS Y LAISSE BOIRE,
TREMBLE UN DOUX LYS D'ARGENT, LA FLEUR DU POÈTE.

ELLE EST DOUCE ET MUETTE, SANS AUCUN REPROCHE,
AVEC UN LONG TRESSAILLEMENT À VOTRE APPROCHE;
MAIS QUAND MOI JE LUI VIENS, DE-CI, DE-LÀ, DE FÊTE,
ELLE FAIT UN PAS, PUIS FERME LES YEUX — ET FAIT UN PAS.

CAR ELLE EST MON AMOUR ET LES AUTRES FEMMES
N'ONT QUE DES ROBES D'OR SUR DE GRANDS CORPS DE FLAMMES,
MA PAUVRE AMIE EST SI ESSEULÉE,
ELLE EST TOUTE NUE, N'A PAS DE CORPS — ELLE EST TROP PAUVRE.

ELLE N'EST QU'UNE FLEUR CANDIDE, FLUETTE,
LA FLEUR DU POÈTE, UN PAUVRE LYS D'ARGENT,
TOUT FROID, TOUT SEUL ET DÉJÀ SI FANÉ
QUE LES LARMES ME VIENNENT SI JE PENSE À SON CŒUR

Et cette nuit est pareille à cent mille autres quand un train file dans la nuit
— Les comètes tombent —
Et que l'homme et la femme, même jeunes, s'amusent à faire l'amour.

Le ciel est comme la tente déchirée d'un cirque pauvre dans un petit village de pêcheurs
En Flandres
Le soleil est un fumeux quinquet
Et tout au haut d'un trapèze une femme fait la lune.
La clarinette le piston une flûte aigre et un mauvais tambour
Et voici mon berceau
Mon berceau
Il était toujours près du piano quand ma mère comme Madame Bovary jouait les sonates de Beethoven
J'ai passé mon enfance dans les jardins suspendus de Babylone
Et l'école buissonnière, dans les gares devant les trains en partance
Maintenant, j'ai fait courir tous les trains derrière moi

Bâle-Tombouctou
J'ai aussi joué aux Courses à **Auteuil** et à **Longchamp**
Paris-New York

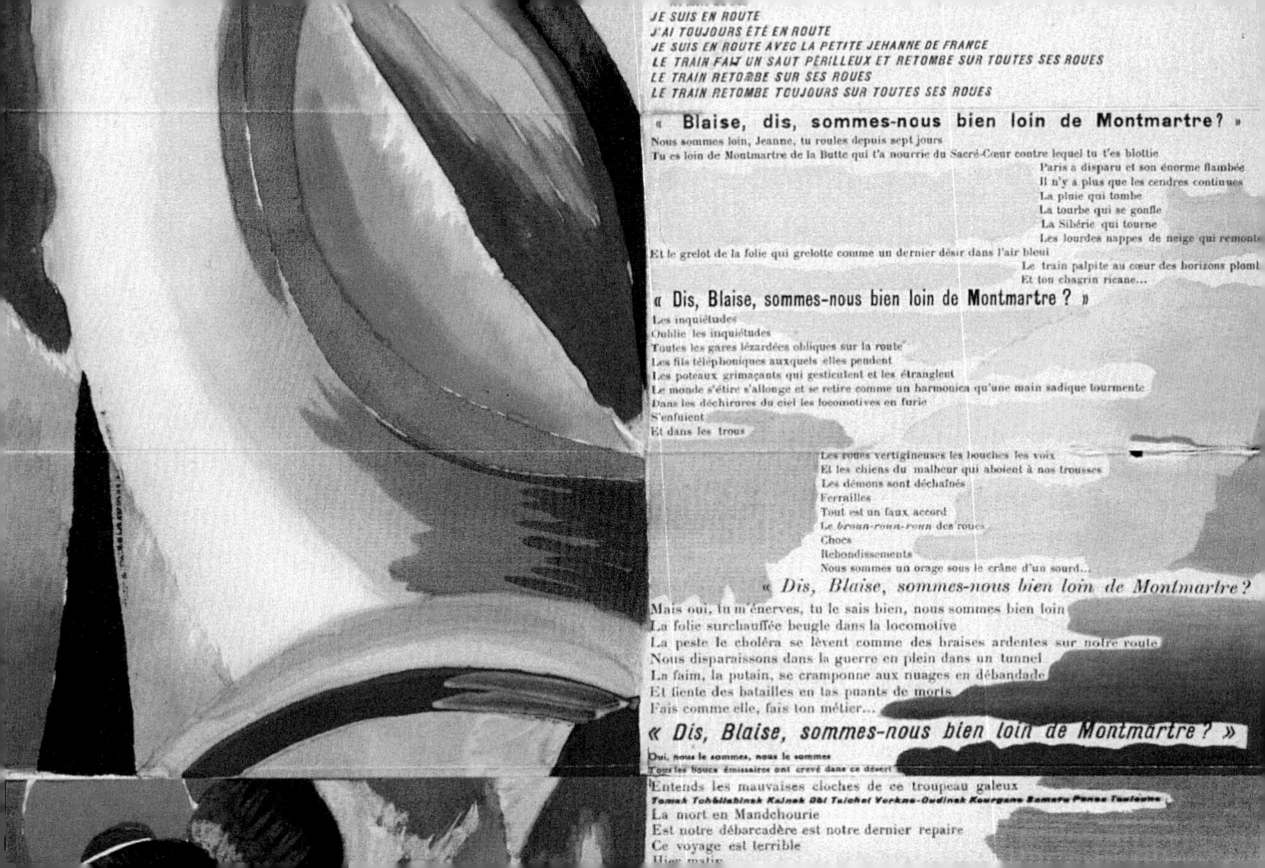

JE SUIS EN ROUTE
J'AI TOUJOURS ÉTÉ EN ROUTE
JE SUIS EN ROUTE AVEC LA PETITE JEHANNE DE FRANCE
LE TRAIN FAIT UN SAUT PÉRILLEUX ET RETOMBE SUR TOUTES SES ROUES
LE TRAIN RETOMBE SUR SES ROUES
LE TRAIN RETOMBE TOUJOURS SUR TOUTES SES ROUES

« Blaise, dis, sommes-nous bien loin de Montmartre? »

Nous sommes loin, Jeanne, tu roules depuis sept jours
Tu es loin de Montmartre de la Butte qui t'a nourrie du Sacré-Cœur contre lequel tu t'es blottie
Paris a disparu et son énorme flambée
Il n'y a plus que les cendres continues
La pluie qui tombe
La tourbe qui se gonfle
La Sibérie qui tourne
Les lourdes nappes de neige qui remont
Et le grelot de la folie qui grelotte comme un dernier désir dans l'air bleui
Le train palpite au cœur des horizons plomb
Et ton chagrin ricane...

« Dis, Blaise, sommes-nous bien loin de Montmartre ? »

Les inquiétudes
Oublie les inquiétudes
Toutes les gares lézardées obliques sur la route
Les fils téléphoniques auxquels elles pendent
Les poteaux grimaçants qui gesticulent et les étranglent
Le monde s'étire s'allonge et se retire comme un harmonica qu'une main sadique tourmente
Dans les déchirures du ciel les locomotives en furie
S'enfuient
Et dans les trous
Les roues vertigineuses les bouches les voix
Et les chiens du malheur qui aboient à nos trousses
Les démons sont déchaînés
Ferrailles
Tout est un faux accord
Le *broun-roun-roun* des roues
Chocs
Rebondissements
Nous sommes un orage sous le crâne d'un sourd...

« Dis, Blaise, sommes-nous bien loin de Montmartre?

Mais oui, tu m'énerves, tu le sais bien, nous sommes bien loin
La folie surchauffée beugle dans la locomotive
La peste le choléra se lèvent comme des braises ardentes sur notre route
Nous disparaissons dans la guerre en plein dans un tunnel
La faim, la putain, se cramponne aux nuages en débandade
Et fiente des batailles en tas puants de morts
Fais comme elle, fais ton métier...

« Dis, Blaise, sommes-nous bien loin de Montmartre? »

Oui, nous le sommes, nous le sommes
Tous les boucs émissaires ont crevé dans ce désert

Entends les mauvaises cloches de ce troupeau galeux
Tomsk Tchéliabinsk Kainsk Obi Taïchet Verkné-Oudinsk Kourgane Samara Penza Touloune
La mort en Mandchourie
Est notre débarcadère est notre dernier repaire
Ce voyage est terrible

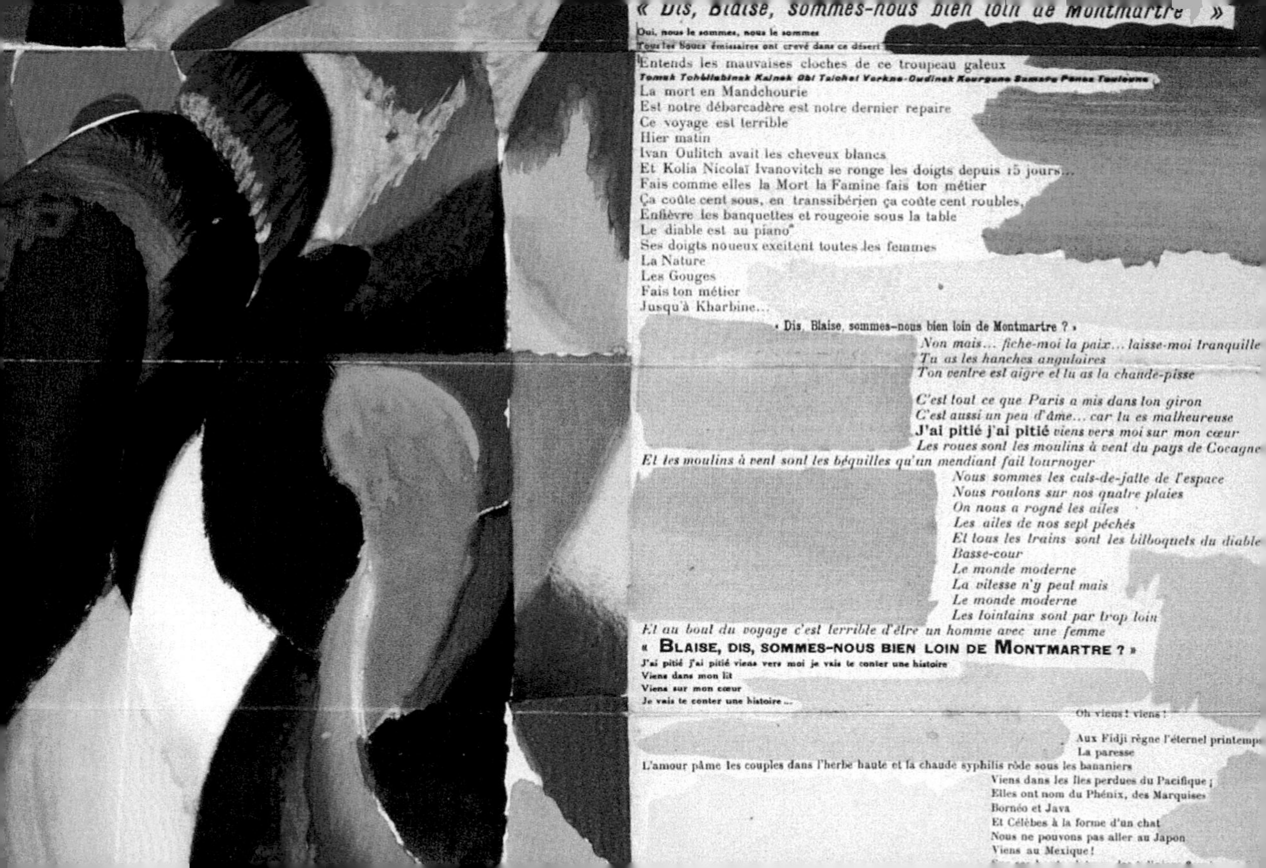
« Dis, Blaise, sommes-nous bien loin de Montmartre »

Oui, nous le sommes, nous le sommes
Tous les boucs émissaires ont crevé dans ce désert
Entends les mauvaises cloches de ce troupeau galeux
Tomsk Tchéliabinsk Kainsk Obi Taïchet Verkné-Oudinsk Kourgane Samara Pensa Touloune
La mort en Mandchourie
Est notre débarcadère est notre dernier repaire
Ce voyage est terrible
Hier matin
Ivan Oulitch avait les cheveux blancs
Et Kolia Nicolaï Ivanovitch se ronge les doigts depuis 15 jours...
Fais comme elles la Mort la Famine fais ton métier
Ça coûte cent sous, en transsibérien ça coûte cent roubles.
Enfièvre les banquettes et rougeoie sous la table
Le diable est au piano
Ses doigts noueux excitent toutes les femmes
La Nature
Les Gouges
Fais ton métier
Jusqu'à Kharbine...

« Dis, Blaise, sommes-nous bien loin de Montmartre ? »

Non mais... fiche-moi la paix... laisse-moi tranquille
Tu as les hanches angulaires
Ton ventre est aigre et tu as la chaude-pisse

C'est tout ce que Paris a mis dans ton giron
C'est aussi un peu d'âme... car tu es malheureuse
J'ai pitié j'ai pitié *viens vers moi sur mon cœur*
Les roues sont les moulins à vent du pays de Cocagne
Et les moulins à vent sont les béquilles qu'un mendiant fait tournoyer
Nous sommes les culs-de-jatte de l'espace
Nous roulons sur nos quatre plaies
On nous a rogné les ailes
Les ailes de nos sept péchés
Et tous les trains sont les bilboquets du diable
Basse-cour
Le monde moderne
La vitesse n'y peut mais
Le monde moderne
Les lointains sont par trop loin
Et au bout du voyage c'est terrible d'être un homme avec une femme

« BLAISE, DIS, SOMMES-NOUS BIEN LOIN DE MONTMARTRE ? »

J'ai pitié j'ai pitié viens vers moi je vais te conter une histoire
Viens dans mon lit
Viens sur mon cœur
Je vais te conter une histoire...

Oh viens ! viens !

Aux Fidji règne l'éternel printemps
La paresse
L'amour pâme les couples dans l'herbe haute et la chaude syphilis rôde sous les bananiers
Viens dans les îles perdues du Pacifique !
Elles ont nom du Phénix, des Marquises
Bornéo et Java
Et Célèbes à la forme d'un chat
Nous ne pouvons pas aller au Japon
Viens au Mexique !

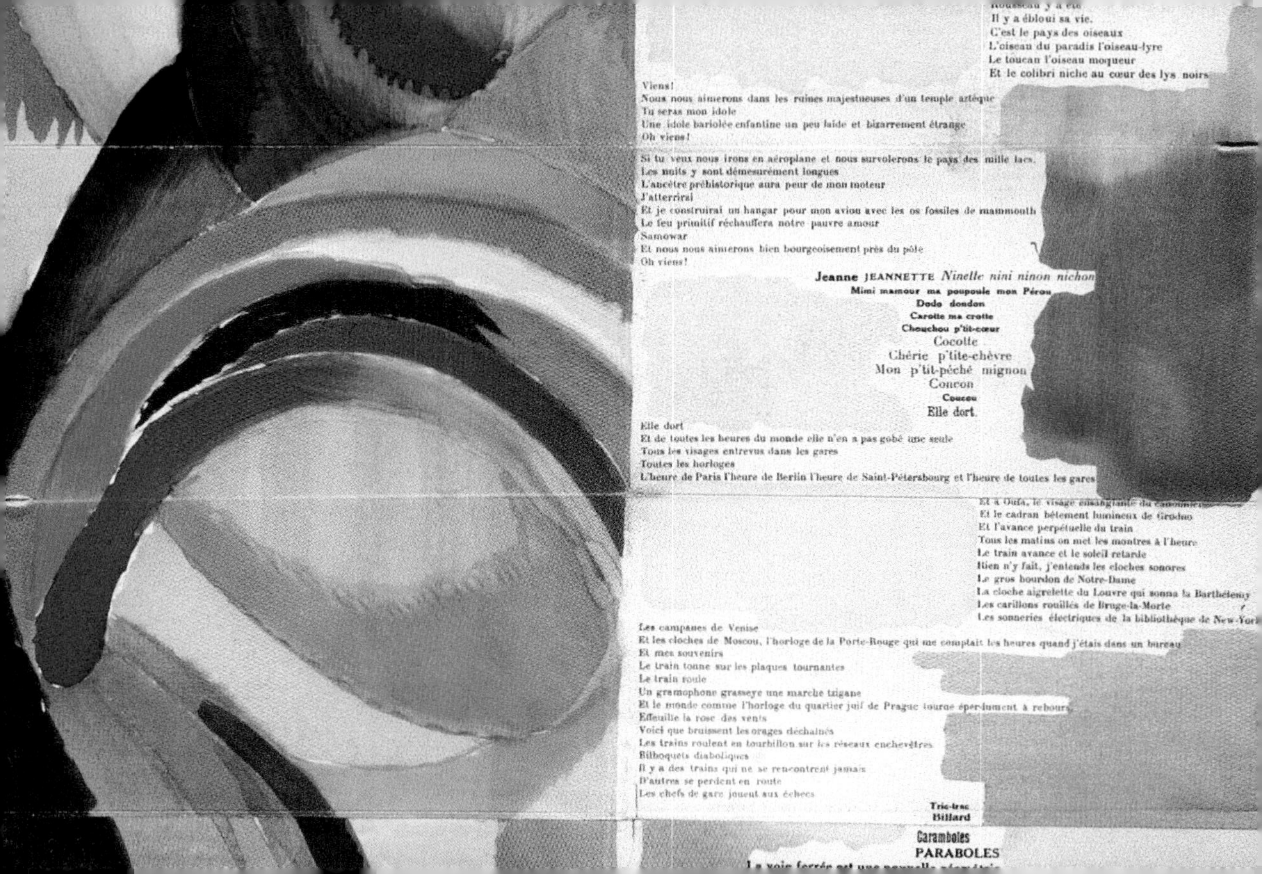

Rousseau y a été
Il y a ébloui sa vie.
C'est le pays des oiseaux
L'oiseau du paradis l'oiseau-lyre
Le toucan l'oiseau moqueur
Et le colibri niche au cœur des lys noirs

Viens!
Nous nous aimerons dans les ruines majestueuses d'un temple aztèque
Tu seras mon idole
Une idole bariolée enfantine un peu laide et bizarrement étrange
Oh viens!

Si tu veux nous irons en aéroplane et nous survolerons le pays des mille lacs,
Les nuits y sont démesurément longues
L'ancêtre préhistorique aura peur de mon moteur
J'atterrirai
Et je construirai un hangar pour mon avion avec les os fossiles de mammouth
Le feu primitif réchauffera notre pauvre amour
Samowar
Et nous nous aimerons bien bourgeoisement près du pôle
Oh viens!

Jeanne JEANNETTE *Ninette nini ninon nichon*
Mimi mamour ma poupoule mon Pérou
Dodo dondon
Carotte ma crotte
Chouchou p'tit-cœur
Cocotte
Chérie p'tite-chèvre
Mon p'tit-péché mignon
Concon
Coucou
Elle dort.

Elle dort
Et de toutes les heures du monde elle n'en a pas gobé une seule
Tous les visages entrevus dans les gares
Toutes les horloges
L'heure de Paris l'heure de Berlin l'heure de Saint-Pétersbourg et l'heure de toutes les gares

Et à Oufa, le visage ensanglanté du
Et le cadran bêtement lumineux de Grodno
Et l'avance perpétuelle du train
Tous les matins on met les montres à l'heure
Le train avance et le soleil retarde
Rien n'y fait, j'entends les cloches sonores
Le gros bourdon de Notre-Dame
La cloche aigrelette du Louvre qui sonna la Barthélemy
Les carillons rouillés de Bruge-la-Morte
Les sonneries électriques de la bibliothèque de New-York

Les campanes de Venise
Et les cloches de Moscou, l'horloge de la Porte-Rouge qui me comptait les heures quand j'étais dans un bureau
Et mes souvenirs
Le train tonne sur les plaques tournantes
Le train roule
Un gramophone grasseye une marche tzigane
Et le monde comme l'horloge du quartier juif de Prague tourne éperdument à rebours
Effeuille la rose des vents
Voici que bruissent les orages déchaînés
Les trains roulent en tourbillon sur les réseaux enchevêtrés
Bilboquets diaboliques
Il y a des trains qui ne se rencontrent jamais
D'autres se perdent en route
Les chefs de gare jouent aux échecs

Tric-trac
Billard
Caramboles
PARABOLES

D'autres se perdent en route
Les chefs de gare jouent aux échecs

Tric-trac
Billard

Caramboles
PARABOLES
La voie ferrée est une nouvelle géométrie
SYRACUSE
ARCHIMÈDE
Et les soldats qui l'égorgèrent
Et les galères
Et les vaisseaux
Et les engins prodigieux qu'il inventa
Et toutes les tueries
L'histoire antique
L'histoire moderne
Les tourbillons
Les naufrages
Même celui du Titanic que j'ai lu dans le journal
Autant d'images associations que je ne peux pas développer dans mes vers
Car je suis encore fort mauvais poète
Car l'univers me déborde
Et j'ai négligé de m'assurer contre les accidents de chemin de fer
Car je ne sais pas aller jusqu'au bout
Et j'ai peur.

J'ai peur
Je ne sais pas aller jusqu'au bout
Comme mon ami Chagall je pourrais faire une série de tableaux déments
Mais je n'ai pas pris de notes en voyage

« Pardonnez-moi mon ignorance
« Pardonnez-moi de ne plus connaître l'ancien jeu des vers »
Comme dit Guillaume Apollinaire
Tout ce qui concerne la guerre on peut le lire dans les *Mémoires* de Kouropatkine
Ou dans les journaux japonais qui sont aussi cruellement illustrés
A quoi bon me documenter
Je m'abandonne
Aux sursauts de ma mémoire.
A partir d'Irkoutsk le voyage devint beaucoup trop lent
Beaucoup trop long
Nous étions dans le premier train qui contournait le lac Baïkal
On avait orné la locomotive de drapeaux et de lampions
Et nous avions quitté la gare aux accents tristes de l'hymne au Tsar.
Si j'étais peintre je déverserais beaucoup de rouge, beaucoup de jaune sur la fin de ce voyage
Car je crois bien que nous étions tous un peu fous
Et qu'un délire immense ensanglantait les faces énervées de mes compagnons de voyage
Comme nous approchions de la Mongolie
Qui ronflait comme un incendie.
Le train avait ralenti son allure
Et je percevais dans le grincement perpétuel des roues
Les accents fous et les sanglots
D'une éternelle liturgie

J'ai vu
J'ai vu les trains silencieux les trains noirs qui revenaient de l'Extrême-Orient et qui passaient en fantômes
Et mon œil, comme le fanal d'arrière, court encore derrière ces trains
A Talga 100 000 blessés agonisaient faute de soin

J'ai visité les hôpitaux de Krasnoïarsk
Et à Khilok nous avons croisé un long convoi de soldats fous
J'ai vu dans les lazarets des plaies béantes des blessures qui saignaient à pleines orgues
Et les membres amputés dansaient autour ou s'envolaient dans l'air rauque
L'incendie était sur toutes les faces dans tous les cœurs
Des doigts idiots tambourinaient sur toutes les vitres
Et sous la pression de la peur les regards crevaient comme des abcès
Dans toutes les gares on brûlait tous les wagons
Et j'ai vu

Disparaître
Dans la direction de Port-Arthur

A Tchita nous eûmes quelques jours de répit
Arrêt de cinq jours vu l'encombrement de la voie
Nous les passâmes chez Monsieur Iankéléwitch qui voulut me donner sa fille unique en mariage
Puis le train repartit.
Maintenant c'était moi qui avais pris place au piano et j'avais mal aux dents
Je revois quand je veux cet intérieur si calme le magasin et les yeux de la fille qui venait le soir dans mon lit
Moussorgsky
Et les lieder de Hugo Wolf
Et les sables du Gobi
Et à Khaïlar une caravane de chameaux blancs
Je crois bien que j'étais ivre durant plus de 500 kilomètres

Moi j'étais au piano et c'est tout ce que je vis
Quand on voyage on devrait fermer les yeux
Dormir
J'aurais tant voulu dormir
Je reconnais tous les pays les yeux fermés à leur odeur
Et je reconnais tous les trains au bruit qu'ils font

Les trains d'Europe sont à quatre temps tandis que ceux d'Asie sont à cinq ou sept temps
D'autres vont en sourdine sont des berceuses
Et il y en a qui dans le bruit monotone des roues me rappellent la prose lourde de Maeterlinck
J'ai déchiffré tous les textes confus des roues et j'ai rassemblé les éléments épars d'une violente beauté
Que je possède
Et qui me force

Tsitsika et Kharbine
Je ne vais pas plus loin
C'est la dernière station
Je débarquai à Kharbine comme on venait de mettre le feu aux bureaux de la Croix-Rouge
O Paris
Grand foyer chaleureux avec les tisons entrecroisés de tes rues et tes vieilles maisons qui se penchent au-dessus et se réchauffent
Comme des aïeules
Et voici des affiches **du rouge du vert** multicolores comme mon passé bref **du jaune**
Jaune la fière couleur des romans de la France
J'aime me frotter dans les grandes villes aux autobus en marche
Ceux de la ligne Saint-Germain-Montmartre m'emportent à l'assaut de la Butte
Les moteurs beuglent comme les taureaux d'or
Les vaches du crépuscule broutent le Sacré-Cœur

O Paris
Gare centrale débarcadère des volontés carrefour des inquiétudes
Seuls les marchands de couleur ont encore un peu de lumière sur leur porte
La Compagnie Internationale des Wagons-Lits et des Grands Express Européens m'a envoyé son prospectus
C'est la plus belle église du monde
J'ai des amis qui m'entourent comme des garde-fous
Ils ont peur quand je pars que je ne revienne plus
Toutes les femmes que j'ai rencontrées se dressent aux horizons
Avec les gestes piteux et les regards tristes des sémaphores sous la pluie
Bella, Agnès, Catherine et la mère de mon fils en Italie
Et celle, la mère de mon amour en Amérique
Il y a des cris de sirène qui me déchirent l'âme
Là-bas en Mandchourie un ventre tressaille encore comme dans un accouchement
Je voudrais
Je voudrais n'avoir jamais fait mes voyages
Ce soir un grand amour me tourmente
Et malgré moi je pense à la petite Jehanne de France.
C'est par un soir de tristesse que j'ai écrit ce poème en son honneur
La petite prostituée
Je suis triste je suis triste
J'irai au *Lapin agile* me ressouvenir de ma jeunesse perdue
Et boire des petits verres
Puis je rentrerai seul

Paris
Ville de la Tour unique du grand Gibet et de la Roue

Paris 1913

Dès l'âge de cinq ans, Miriam Cendrars apprend à lire dans les *Poèmes* de Blaise, dans *J'ai tué*, dans *L'Or*, dans les *Petits Contes nègres.* Elle découvre ainsi les contrastes de la création, confirmés par tous les livres de Cendrars dont le style, l'esprit d'indépendance, la vision, la force d'âme, influent sur sa formation. Au-delà des relations filiales, des liens profonds avec le poète-écrivain destinent Miriam à faire vivre son œuvre et sa mémoire. Auteur de *Blaise Cendrars,* aux éditions Balland, essai couronné par l'Académie française, elle a créé le fonds Blaise Cendrars à la Bibliothèque nationale suisse, à Berne, ouvert aux chercheurs, étudiants et lecteurs, amis connus et inconnus.

Dépôt légal : mars 1996
Numéro d'édition : 70028
ISBN : 2-07-058665-0
Imprimerie Kapp Lahure Jombart, à Evreux

BLAISE CENDRARS
L'OR D'UN POÈTE

Miriam Cendrars

DÉCOUVERTES GALLIMARD
LITTÉRATURE

« Ne peut-on remonter plus loin, plus haut encore, franchir le seuil de la conscience embryonnaire ? » Un jeune homme, le futur Cendrars, cherche son identité. Il lui faut renaître. Après une enfance mouvementée, un séjour en Russie lui révèle sa voie : « Non, il ne me serait jamais venu à l'idée que ces années me seraient comptées comme années d'apprentissage en poésie ! Et qu'un jour, oui, un jour, je serais sacré poète ! Puis que je me mettrais pour de bon à écrire. »

CHAPITRE PREMIER
NAÎTRE ET RENAÎTRE

“Foutez mon enfance par terre / Ma famille et mes habitudes / Mettez une gare à la place... Je ne suis pas le fils de mon père / Et je n'aime que mon bisaïeul / Je me suis fait un nom nouveau / Visible comme une affiche bleue / Et rouge montée sur un échafaudage / Derrière quoi on édifie / Des nouveautés des lendemains.”

Blaise Cendrars, *Au cœur du monde*

Un nouveau-né contestataire

Si l'on s'en tient au registre d'état civil de La Chaux-de-Fonds, Sauser Frédéric-Louis est né le premier septembre mille huit cent quatre-vingt-sept à sept heures quarante-cinq minutes du soir, de Sauser Georges-Frédéric, négociant, et de Marie-Louise Dorner. Les Sauser sont originaires de Sigriswil, dans

Marie-Louise (à droite) était une maman fragile et neurasthénique. Pour calmer Freddy, elle lui jouait les sonates de Beethoven. Ci-dessous, le seul document commercial retrouvé concernant le père.

N° 539
Fabrication et Commerce d'Horlogerie garantie
Marque déposée
Georges Sauser
CHAUX-DE-FONDS

l'Oberland bernois, un village perché à flanc de coteau, au-dessus du lac de Thoune. Leur signature figure dès 1347 sur la lettre de franchise par laquelle le bourg rachetait son indépendance au duché de Bourgogne. A la fin du XVIIIe siècle, le phylloxéra anéantit le vignoble qui faisait la richesse de la région. Les Sauser émigrent et s'installent à Bôle, sur le lac de Neuchâtel. Fils et petit-fils de vignerons, Georges-Frédéric – le père de Freddy – y naît le 23 avril 1851. A l'âge de vingt-cinq ans, il monte à La Chaux-de-Fonds, un des grands centres horlogers du Jura suisse. Il y trouve un emploi de «commis» et rencontre Marie-Louise, la fille aînée de Johannes Dorner, originaire de Kussnacht dans le canton de Zurich, gérant de l'Hôtel de la Balance, «où on loge à pied et à cheval», célèbre pour avoir hébergé l'impératrice Joséphine et devenu le lieu privilégié des banquets, des mariages et des baptêmes.

Ci-dessous, La Chaux-de-Fonds et l'Hôtel de la Balance de Johannes Dorner, grand-père admiré, qui mettait ses petits-enfants «à l'épreuve du cheval» : seul Freddy ne tomba pas.

Le mariage a lieu le 20 juin 1879 et le couple s'installe au 27, rue de la Paix, une maison bourgeoise, où trois enfants vont naître : Marie-Elise, le 7 août 1882, Jean-Georges, le 26 septembre 1884, puis Frédéric-Louis, Freddy pour la famille et les amis.

Les origines du «grand magicien»

«Tout enfant, très souvent, je brûlais dans mon berceau : je prenais feu comme une allumette et il ne restait de moi qu'un petit tas de cendres noires toutes entortillées. J'ai fait ce rêve au moins cinquante fois.»

“C'est mon premier domicile / Il était tout arrondi / Bien souvent je m'imagine / Ce que je pouvais bien être... Le grand muscle de ton vagin / Se resserrait durement...Et tu m'inondais de ton sang / Mon front est encore bosselé / De ces bourrades de mon père / Pourquoi faut-il se laisser faire / Ainsi à moitié étranglé ? / Si j'avais pu ouvrir la bouche / Je t'aurais mordu / Si j'avais pu déjà parler / J'aurais dit : Merde ! / Je ne veux pas vivre !”

Le Ventre de ma mère

Dès ses premières années, Freddy est un enfant difficile, fermé. Sa mère, de santé fragile, est minée par l'instabilité de son mari, devenu «fabricant d'horlogerie». Constamment à la recherche d'inventions et d'opérations fructueuses, Georges-Frédéric décide d'exporter la bière allemande sur les rives de la Méditerranée. La famille Sauser part le 14 juin 1894 et arrive à Naples le 26 septembre après une halte à Paris et un probable détour par l'Egypte où, semble-t-il, le père fantasque avait été entraîné dans une affaire hôtelière à Héliopolis. Le transport de la bière est une catastrophe : au bout d'un voyage en plein été dans des harasses inadéquates, la boisson allemande arrive à Naples imbuvable. Tant bien que

Le Pausilippe abrite le tombeau de Virgile, dominant la baie de Naples et le Vésuve (ci-dessus). Passer de la grise bourgade du Jura protestant à la luminosité d'une ville grouillante pleine de couleurs et de chants, découvrir le christianisme baroque, avec ses processions et ses miracles : l'enfant précoce est fasciné par la mystérieuse diversité de la création.

mal, les Sauser survivent dans le Palazzo Scalese, vaste maison entourée d'un jardin exotique. Georges-Frédéric, mêlé à une combine de lotissements de la colline du Vomero, parachève la ruine. Finalement, le consulat de Suisse prendra en charge le rapatriement de la famille en déroute, au printemps 1896.

Les dix-huit mois de Naples – de sept ans à huit ans et demi – sont déterminants pour la personnalité et la sensibilité de Freddy. En 1948, à la parution de *Bourlinguer*, son frère – ils ne s'étaient pas revus depuis 1912 – lui écrit en évoquant à son tour l'«équipée napolitaine», une belle aventure pour les gosses, «et pour toi le commencement des aventures, grand magicien que tu es». Naples. Des souvenirs d'enfance pour Jean-Georges, le futur juriste, un matériau en fusion pour l'écrivain en gestation.

Un court séjour à la Scuola Internazionale de Naples, parmi les enfants «chics» de la bonne société, comme dira Jean-Georges (au premier rang à droite, ci-dessous), suffit à Freddy (en col marin) pour haïr l'école. «Napolitain d'occasion, j'entrais en prison», écrira-t-il au verso de cette photo, en dédicace à son ami Curzio Malaparte.

Ci-contre, au premier plan, Freddy, douze ans, en excursion dans le Jura à l'époque du séjour à Bâle : on remarque son caractéristique grand «front bosselé».

Naufrage dans le lac de Neuchâtel : datée de 1903, cette photo (ci-dessous) a été prise au moment où, surchargée, la vieille barque se disloquait. Freddy est au premier plan.

«Toute la douleur de vivre»

En 1896, les Sauser sont à Bâle, et Freddy – devenu Fritz à cette occasion – est envoyé en pension en Allemagne pour apprendre la langue nécessaire à l'entrée au «progymnase» suisse alémanique. La discipline, les relations équivoques avec les maîtres et les élèves le révoltent. Il fait une fugue. On l'enferme dans une autre pension. Et c'est probablement de ces passages dans les «pensions-prisons» qu'il gardera une grande aversion pour les «Boches», ainsi qu'il les nommera, tant en 1914 qu'en 1940.

Au «gymnase» de Bâle, Fritz était, selon les souvenirs d'un camarade, «un élève moyen, doux, ponctuel, plutôt timide et insignifiant, facilement impressionnable, parfois colérique, emporté». Un autre de ses camarades de classe, August Suter, le futur sculpteur, que Freddy retrouvera à Paris dix ans plus tard et qui restera son ami sa vie durant, racontera que sa première impression du nouveau venu était qu'il avait «affaire à un garçon de langue française» : l'allemand était bien pour lui une langue acquise. Par ailleurs, tous les témoignages s'accordent sur un Fritz sportif, aimant les excursions, la natation et le football.

«Gosse, je rêvais très souvent que je volais. C'était une chose très exaltante, très agréable»

Ce que ni copains ni famille ne soupçonnent, c'est que Freddy devient un adolescent douloureusement renfermé sur son monde intérieur, un incompris, un révolté réfugié dans un silence peuplé de rêves et d'aspirations secrètes. Admirateur d'Erasme, le philosophe dont Bâle s'enorgueillit, Freddy apprend par lui que la lecture des bons auteurs est le plus exaltant des plaisirs, et que Dieu a créé l'homme libre. La musique aussi transporte Freddy dans son «ailleurs». Très doué, il étudie le piano, assidûment. Déjà, il improvise. Déjà il songe à la composition. Comment se libérer de toutes les contraintes qui l'accablent ? Déjà il songe à une vie différente.

Erasme (ci-dessous) professa et mourut à Bâle au XVIe siècle. On lit, dans sa «Préface» à ses *Colloques* : «Ce livre, mis entre les mains de l'enfance, la rendra plus apte à une foule de connaissances, à la poésie, à la rhétorique, à la physique, à la morale, enfin à tous les devoirs de la piété chrétienne.» Mais c'est en remettant en question toutes les idées préconçues que ce grand pédagogue enseignait. Toujours étudié dans les écoles de Bâle, ses notions de tolérance et de libre arbitre impressionnent Freddy.

«J'ai lu des tonnes de livres d'aventures»

En 1902, les Sauser se réinstallent à Neuchâtel, dans un appartement d'une «maison locative», comme on dit ici, 29, rue des Sablons. Etant donné l'apparent manque de goût pour les études de Freddy, quinze ans, son père décide qu'il ira à l'école de commerce qui forme «une jeunesse forte et armée pour la vie».

Aux premières vacances, Freddy et son frère retournent à La Chaux-de-Fonds, à l'Hôtel de la Balance. Jean-Georges a drôlement raconté comment là, dans la vaste chambre des W.-C. qui servait aussi de remise à confitures, les deux garçons lisaient, dans le populaire almanach *Le Messager boîteux*, les fabuleuses aventures du conquérant de la Californie, un certain Johann August Suter, dont ils discutaient longuement le soir à la veillée!

«J'ai toujours pensé et répété que Blaise a commencé *L'Or* entre la m... et les confitures!», écrira le respectable professeur Sauser-Hall, juriste international! Blaise, lui, en 1952, recommandera à Henry Miller, dont il lit *Books in my life* : «Si jamais vous fondez le Club de la lecture aux chiottes, je demande à être membre d'honneur. Tonnerre! en ai-je assez expédié des bouquins dans ces hauts lieux de l'esprit!»

L'atmosphère au foyer se disloque, Georges-Frédéric mène une vie parallèle dignement supportée par Marie-Louise dont la santé est vacillante. Les relations de Freddy avec l'école et la famille s'enveniment. Au bord du déséquilibre, infiniment seul et triste, Freddy passe plus de temps sur le lac en bateau à voile qu'en classe, rencontre celle qui sera sa première aventure amoureuse... et il lit, lit, les Jules Verne, la *Géographie* d'Elisée Reclus, l'*Astronomie populaire* de Camille Flammarion et les trois gros volumes illustrés des *Voyages de Thomas Cook* de Johann Wäber. Des journaux, des revues. Et aussi *Les Filles du feu* de Gérard de Nerval; dans *Les Chimères*, il trouvera le poème qui donne la clé de son enfance et de son attachement à Naples, «El Desdichado» : «Dans la nuit du tombeau, toi qui m'as consolé, / Rends-moi le Pausilippe et la mer d'Italie.»

Freddy souffre des difficiles relations de ses parents et se réfugie dans la lecture. En 1905, il note sur l'*Astronomie populaire* : «C'est quelque chose de grandiose, de sublime, que tous ces astres, tous ces mondes et toutes ces lois qui les régissent. On se sent petit, microscopique.» L'idée réapparaîtra dans *Profond aujourd'hui* : «Je ne sais plus si je regarde un ciel étoilé à l'œil nu ou une goutte d'eau au microscope.»

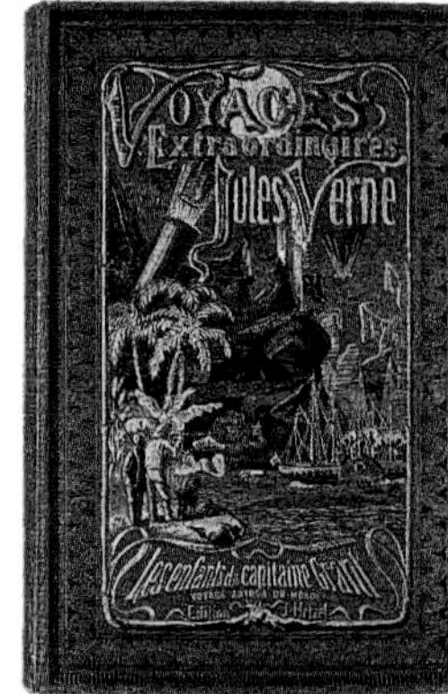

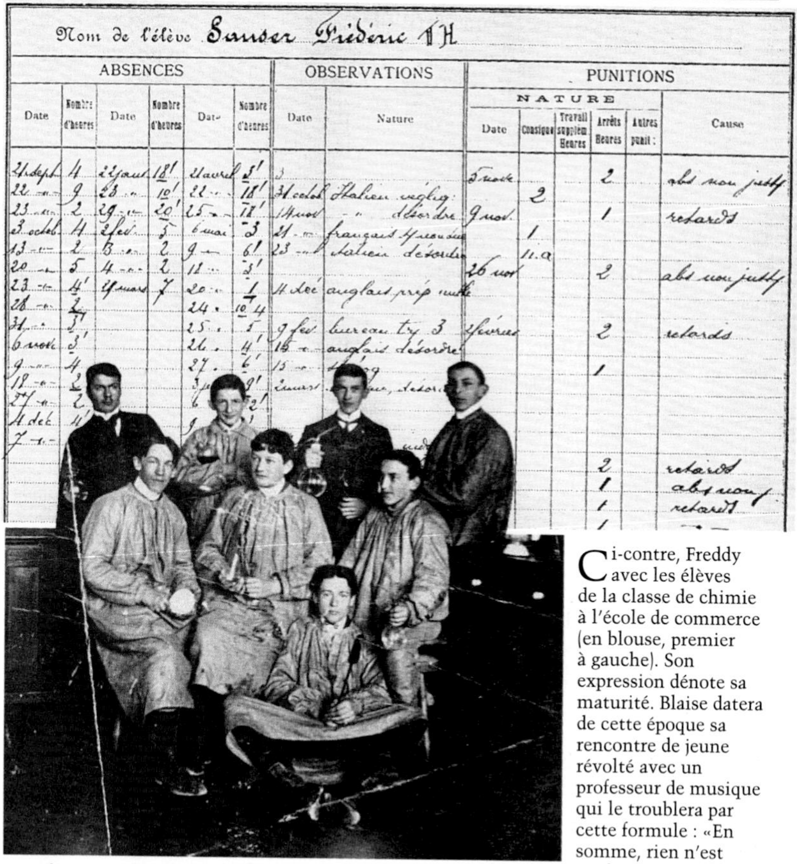

Ci-contre, Freddy avec les élèves de la classe de chimie à l'école de commerce (en blouse, premier à gauche). Son expression dénote sa maturité. Blaise datera de cette époque sa rencontre de jeune révolté avec un professeur de musique qui le troublera par cette formule : «En somme, rien n'est inadmissible, sauf peut-être la vie, à moins qu'on ne l'admette pour la réinventer tous les jours !» Freddy est fasciné : «Cette simple boutade suffit pour ravager mon adolescence et me brûler toute la vie.»

«Je dis... je dis que je me sauverai!
– Et par où? – Par la fenêtre, pardi!»

Le bulletin scolaire de fin d'année est arrivé sur le bureau de son père le 6 juillet 1904. 255 heures d'absence, 374 heures d'absences non justifiées, 20 heures de consigne et d'«arrêt». Les notes sont au-dessous de la moyenne en presque toutes les matières et les «observations» sont désastreuses : négligence, désordre, indiscipline, insubordination.

Blaise écrira dans *Vol à voile*, en 1932, la terrible discussion qui s'ensuivit, comment il fut enfermé dans sa chambre et la décision qu'il prit : «Je partirai. Loin. Je n'ai plus qu'à m'en aller. Ici, je suis de trop.» L'écrivain fera sans doute un amalgame entre ses différentes fugues, bien réelles, d'enfant et d'adolescent, pour donner à celle décrite dans *Vol à voile* toute sa force symbolique.

Empocher quelques couverts en argent, quelques billets, des cigarettes, enjamber la fenêtre, descendre de balcon en balcon jusqu'à la rue, courir à la gare, monter dans le premier train international en direction de l'Allemagne puis de la Russie...

L'indéniable, c'est qu'il rompt avec sa famille. «Je viens de trouver une place en Russie», écrit-il à un camarade de Bâle, le 8 septembre 1904, en lui donnant un rendez-vous, pour lui dire adieu, entre deux trains.

La construction du Transsibérien, inaugurée en 1891, sera terminée en 1906. En 1905, le trafic de Moscou à Kharbine est de onze trains de trente-cinq voitures par jour, dans les deux sens, pour quelque deux millions de voyageurs payants et deux millions de tonnes de marchandises, défiant les attaques des bandits khoungouzes. Le trajet est d'une dizaine de jours, avec haltes dans les gares de villages qui se peuplent d'émigrants encouragés par l'Etat russe.

Renaître poète «à seize mille lieues du lieu de ma naissance»

Avec un homme d'affaires de toutes sortes, que Blaise nommera Rogovine, chargé de former le jeune homme au négoce, Freddy prend le Transsibérien.

L'aventure que Freddy va vivre est un terrible voyage initiatique : «J'ai vu», écrira-t-il, comme Goya a dit «*Yo lo vi*» pour les désastres de la guerre. L'adolescent en reviendra transformé, enrichi de

Lors des émeutes qui suivent le massacre du «Dimanche rouge» (ci-contre), barricadé dans une chambre blindée de la joaillerie, Freddy s'éveille à la spiritualité : «J'eus la révélation de la vertu des pierres... elles ont perdu leur vanité... elles se réveillent comme tirées d'un sommeil magique pour célébrer la Splendeur de la création, comme les saints dans la prière... reflètent la Splendeur qu'ils contemplent dans l'au-delà, action passive, feu gelé, mort vivante.»

l'expérience qui fait de lui un homme, plus qu'un homme : le poète qui, huit ans plus tard, écrira le poème novateur du XXe siècle, la *Prose du Transsibérien et de la petite Jehanne de France*.

Le 1er janvier 1905, Frédéric-Louis Sauser arrive chez son employeur, M. H. A. Leuba, joaillier et horloger 34, rue aux Pois à Saint-Pétersbourg : *ougol Gorochowaïa i Sadowaïa*. Dès son arrivée, il est témoin des premiers signes de la révolution. Le dimanche 9 janvier, le «Dimanche rouge», les manifestants, qui marchent vers le palais d'Hiver pour présenter leur supplique au tsar, sont massacrés par la cavalerie des cosaques, laissant sur le pavé trois cents morts et deux mille blessés.

Dans sa dix-septième année, tandis qu'il apprend à trier et à peser gemmes et pierreries pour les bijoux destinés à l'aristocratie, Freddy fait ses premières rencontres dans les milieux anarchistes. La camarade qui l'initie aux techniques révolutionnaires est arrêtée et condamnée à mort par pendaison.

Sa vie a aussi une autre face : il forme une équipe de football, sport jusque-là ignoré des Russes ; il fait de l'équitation, de la musique. «Je flânais sur la Nevsky. L'hiver la vie

nocturne bat son plein sur les patinoires, dans les cafés, chez Philippof, dans les boîtes de nuit où l'on danse, dans les tripots, à L'Ours, chez Palkine. Les concerts, les théâtres, les premiers cinés.»

Dans quelle direction ces années de violence et de contrastes conduiront-elles Freddy ? Il a trouvé un havre : la grande salle de la Bibliothèque impériale et là, un nouvel ami, le bibliothécaire, que Cendrars ne nommera jamais que par ses initiales. R. R. s'intéresse à ce jeune homme qui apprend si vite le russe, qui admire les éditions anciennes et choisit ses lectures en curieux insatiable. R. R. lui parle de littérature, de tradition orale, et aussi de Dieu, des saints et de la prière, de la contemplation. Freddy se confie à lui, lui raconte sa vie, déjà si mouvementée. R. R. reconnaît en Freddy un être exceptionnel, profondément poète. Il l'encourage à écrire.

«J'étais à Moscou [ci-dessus], dans la ville des mille et trois clochers et des sept gares.» Ville que Blaise Cendrars décrira dans *Moravagine* : «Moscou est belle comme une sainte napolitaine. Un ciel céruléen reflète, mire, biseaute les mille et mille tours, clochers, campaniles qui se dressent, s'étirent, se cabrent, s'évasent... se bulbent comme des stalactites polychromes.»

Les «Cahiers» : «Ecrire, ce n'est pas rêver, c'est du boulot, c'est un travail d'artisan»

Ainsi commence la fondamentale aventure de Frédéric-Louis Sauser : l'écriture. Il inaugure un Cahier à couverture de toile cirée noire par une citation de l'*Atala* de Chateaubriand : «Homme tu n'es qu'un songe rapide, un rêve douloureux.» Quotidiennement, il commente ses lectures : Taine, Michelet, Dante, Darwin, La Bruyère, Maupassant, Tourgueniev, George Sand, Dostoïevski, Tolstoï, Malebranche... un mélange de centaines d'auteurs. Dans un autre cahier, il écrit sur la peinture, sur les maîtres qu'il découvre au musée de l'Ermitage, et notamment les primitifs italiens.

Le 31 décembre 1906, le contrat de travail avec M. Leuba prendra fin. Or voici qu'en novembre, Freddy rencontre Hélène Kleinmann. Son père est un des fournisseurs de Leuba. Elle a dix-neuf ans. Amoureux, Freddy quitte Leuba, mais loue une chambre et prolonge son séjour à Saint-Pétersbourg, pour étudier, écrire, aimer. Que se passe-t-il entre Freddy et Hélène ? Jusqu'à quel point Hélène croit-elle pouvoir faire des projets d'avenir ?

Mais les nouvelles de Suisse sont mauvaises : Freddy doit rentrer, sa maman est malade. «Je vous écrirai, promet-il à Hélène. Je vous dirai tout. Je tiendrai un journal pour vous. Je reviendrai.» Les lettres que Freddy, de retour à Neuchâtel, écrit à Hélène (et dont – écrivain déjà ! – il garde le brouillon dans un Cahier), glissent de jour en jour de l'amour à l'amitié. «Nos deux âmes n'en formeront plus qu'une, mais il faut que nos corps soient séparés à jamais.» Ces corps avaient-ils donc imprudemment été unis ? Hélène, de son côté, écrit des lettres désolantes... désespérées ? Soudain, le 28 juin 1907, Freddy reçoit la terrible nouvelle : un soir Hélène, à demi endormie, a maladroitement renversé sa lampe à pétrole. Son lit a pris feu. Hélène est brûlée. Brûlée à mort. Freddy ne se libérera jamais du sentiment de culpabilité qui le ronge... et d'un rêve obsédant.

“La pensée a toujours été ma grande ennemie ; je tâcherai d'en faire une fidèle amie... Jusqu'à présent elle était folle, pleine de fougue, elle s'envolait dans un monde ultra-fantaisiste. Je la dresserai à examiner avec la même ardeur les choses qui me torturent. En un mot, j'entreprends l'éducation de ma pensée. Il faut qu'elle me devienne un solide point d'appui.”

“Je me sens plein de force, il faut que nous soyons heureux. Mais je n'ai pas le droit de parler ainsi, je ne suis pas aussi bon que vous croyez. Vous vous trompez peut-être, éblouie un moment. Suis-je bien celui qui pourrait vous rendre heureuse.”

Extraits de lettres de Freddy à Hélène, Neuchâtel, avril-mai 1907

Ci-dessous, l'un des premiers poèmes écrits par Freddy, après la mort d'Hélène en juin 1907 : «Je crache sur la beauté.»

la beauté qui amène le malheur,
la raison, qui veut être trop belle,
l'éducation qui ne veut rien admettre,
les mots qui trompent l'animal,
la vie qui n'écoute pas la vie !

«J'étais fautif, j'étais coupable, un bourreau me tranchait la tête d'un coup de hache... De quel crime étais-je accusé?»

Après la mort de Marie-Louise, la mère de Blaise, le 12 février 1908, la famille Sauser se disperse. Le père se remariera. La fille aînée a épousé un dentiste, en Allemagne. Le fils juriste est fiancé à Agnès, la fille du peintre anglais Richard Hall, et s'achemine vers une belle carrière.

Freddy part pour Berne. Il s'inscrit à la faculté de médecine, pour étudier les «maladies de la volonté, les causes des troubles nerveux». Mais il ne trouve pas la réponse à ses propres désordres, à ses angoisses. Il se tourne alors vers l'université pour la philosophie, la prosodie, la littérature et, avec passion, suit les cours de musique, harmonie et contrepoint, du professeur Hess-Ruetschi, organiste à la cathédrale, qui exerce une bénéfique influence sur cet élève surdoué.

Son charme exotique, cheveux longs, lavallière, regard d'un homme qui a trop tôt trop vécu, attire les jeunes filles d'un «fort contingent de merveilleuses étudiantes russes» et parmi elles, Féla Poznanska.

Née à Lodz, en Pologne, elle a vécu à Varsovie et à Saint-Pétersbourg. Elle a quitté sa famille, convaincue que le seul moyen pour la femme de gagner une place indépendante dans la société est d'étudier, d'évoluer, de s'élever. Elle prépare les examens de philosophie. Freddy s'éprend de Féla qui l'aime et reconnaît en lui le poète, le talent... le génie. Auprès d'elle, Freddy prend pleinement conscience de sa vocation et commence sérieusement à travailler.

A Bruxelles (ci-dessus), Freddy lit Nietzsche. *Par-delà le bien et le mal* fait l'éloge de l'oisiveté, «nécessaire à toute vie religieuse... à cet état de béatitude délicate qu'on appelle la prière et qui est un état de préparation à la venue de Dieu». En août, après une longue marche sur la plage de La Panne, Freddy écrit : «Du feu, de l'infini, du silence, l'Absolu !»

Féla Poznanska (à gauche) décrit le jeune étudiant dont elle s'éprend à Berne : «Suisse par pur hasard, il aurait pu naître dans n'importe quel pays et s'y trouverait chez lui. Il porte la chevelure d'un Gorki, la vareuse de velours et la large cravate d'un Baudelaire et, dans les gestes, la grâce d'un Italien. Il pourrait aussi être polonais.»

Sa première œuvre est *Novgorode, la légende de l'or gris et du silence*, un livre mythique, publié à Moscou par l'ami R. R. à quatorze exemplaires, dont aucun n'a été retrouvé à ce jour. Viennent ensuite les poèmes encore rattachés au symbolisme, *Séquences*, qu'il publiera en 1913 et qu'il qualifiera d'«erreur de jeunesse». Il a vingt et un ans.

«Je me rendrai célèbre par un mauvais coup ou par l'écriture»

Freddy et Féla sont attirés à Bruxelles par un groupe d'intellectuels, La Synthèse, et par le poète Franz Hellens. La vie de Freddy est partagée entre l'écriture, ses virées dans les quartiers mal famés de la ville («j'adorais la bagarre et aimais me tabasser à l'époque») et les divers métiers pour gagner les trois sous nécessaires à survivre : figurant dans *Carmen* au Théâtre de la Monnaie, vendeur de loukoums, déguisé en Turc, à l'Exposition universelle, ou encore jongleur dans une troupe de music-hall avec laquelle

Dans le chapitre «Anvers» de *Bourlinguer*, Cendrars racontera ses virées belges, en compagnie d'un voyou : « Mais cent fois je m'étais dit que seule l'épaisseur du petit volume que j'avais dans ma poche (les *Testaments* de Villon) me séparait de mon compagnon et m'empêchait de devenir une parfaite canaille, comme lui.»

C'est l'état d'un homme disloqué par ses deux fortes tendances – les mains indiquent le haut et le bas, l'âme et la chair – et par l'incoercible sentiment de culpabilité que Freddy exprime sur cet autoportrait (1910, ci-dessous).

il part pour Londres, où il partagera la misérable chambre d'un petit clown qui, le soir, lisait Schopenhauer et qui se nommait Charlie Chaplin!

A travers tout cela, il se questionne sur sa propre identité, sur le sens de la vie, recherche qui sera le fil conducteur de son œuvre. «Dieu et Diable sont mes jouets favoris, écrit-il. A l'un j'offre mon cœur sanglant rempli de rêves d'amour, éternels, illimités... à l'autre ma chair humide, des désirs précis et chauds. Je m'amuse aux débats et aux disputes de ce petit dieu et de ce petit diable qui se pendent à mes trousses, tâchent d'attraper l'un mon cœur, l'autre mon sexe et je ris de leurs culbutes. Je suis le Poète.»

Il dit à Féla : «Dix ans d'études. Il me faut dix ans. Je trouverai ma langue. Mon style. Une fois que j'aurai commencé.»

En cet été 1910, Freddy découvre l'œuvre de Remy de Gourmont et notamment *Le Latin mystique*. Cinquante ans plus tard, Blaise Cendrars dira : «Je ne crois pas avoir publié un livre ou un écrit sans que son nom y figure ou que je ne le cite d'une façon ou de l'autre. C'est dire combien j'ai profondément subi l'emprise du maître que je m'étais choisi à vingt ans.» A Paris, Blaise et Féla habitent une pauvre chambre à l'Hôtel des Etrangers, peut-être

Blaise retrouvera en 1915 dans *Charlot au caf'conc'*, le film qui fit rire tous les poilus, ce Chaplin qui, clown dans un music-hall à Londres en 1910, se faisait botter le derrière tandis que Freddy était jongleur.

Le Latin Mystique

LES POÈTES DE L'ANTIPHONAIRE

ET LA SYMBOLIQUE AU MOYEN AGE

PRÉFACE DE L'AUTEUR

Dans l'œuvre de Gourmont (ci-contre), Freddy découvre la «prose» médiévale des moines de Saint-Gall, versification libre de toute règle, pour les hymnes inspirées par la profondeur des sentiments et les mouvements du cœur. D'où la *«Prose» du Transsibérien* que Blaise écrira en 1913.

l'hôtel où les Sauser s'étaient arrêtés en 1894, en route vers l'Egypte et Naples, au 216, rue Saint-Jacques. «Me voici devant la maison où fut écrit le *Roman de la Rose*, la maison où je suis né», écrit-il en 1918, dans le poème *Au cœur du monde.*

Naître en tant que poète : avec plusieurs manuscrits dans sa sacoche, Freddy espère intéresser un éditeur. C'est l'échec et la misère. Il explore le Paris populaire, traîne dans les milieux louches de la place Blanche, se lie avec les intellectuels anarchistes. Un jour de janvier 1911, il entre au Louvre. Devant un tableau de Constable, surprise! Il reconnaît August Suter, son camarade de classe, qui est maintenant un jeune sculpteur. Il est chaleureux, généreux. Grâce à lui, Féla et Freddy auront au moins un repas par jour.

Freddy se lie avec Victor Kibaltchitch, alias Victor Serge, qui signe «Le Rétif» dans son hebdo *L'Anarchie*, et qui a fondé un cercle d'études, La Libre Recherche, donnant pour but à l'individu de «se transformer lui-même et de lutter pour la transformation sociale». Victor Serge déplorera le «passage à l'acte» de certains camarades qui dérivent vers la criminalité, les «bandits en auto» de la bande à Bonnot. Il sera pourtant inculpé et condamné bien que niant toute participation à «des actes qui lui répugnent» (ci-dessous, au premier rang à gauche, lors du procès de la bande à Bonnot en 1913).

«Les mystères derniers et fondamentaux, l'homme les porte dans son être intime» (Schopenhauer)

Une vie aussi difficile ne peut pas durer. Féla ira rejoindre sa sœur à New York. Freddy, tenaillé par la mort d'Hélène qu'il lui faut exorciser, pris d'une folle envie de se sauver – «Ah ! Quitter Paris, partir!» –, retourne à Saint-Pétersbourg. Là, il trouve dans la lecture de Schopenhauer la confirmation de ses intuitions et travaille, obstinément :

En été 1911, Freddy quitte la perspective Nevsky (ci-dessus) et va travailler à Streïlna, sur la mer Baltique : «Je vis tout entier replié sur moi-même.»

«Ecrire, tout de suite, sans retard, régulièrement.» Il traduit les poètes symbolistes allemands, donne des leçons de français, entreprend l'écriture d'un livre, *Aléa* – qui deviendra plus tard *Moganni Nameh* – dont il dit dans une lettre à son ami Suter : «J'y jette tout, ma vie antérieure, tout ce que je sais, tout ce que j'ignore, mes idées, mes croyances, mes vulgarités, mes démences, mes stupidités, la vie et la mort. C'est fou, non conformiste, insensé. De la vapeur s'en échappe. J'accueille ce bouquin avec amour et il contribuera à mon épanouissement.»

Soudain, le 14 novembre, il reçoit de Féla un billet Saint-Pétersbourg-New York. En tête du journal intitulé *Mon voyage en Amérique* qu'il tiendra à bord du *Birma* sur lequel il embarque, à Libau, le 21 novembre 1911, Freddy note une citation des *Mémoires* de Benkout : «Fais-toi règle d'écrire journellement, deux, trois heures. Prépare ton papier, ta plume, ton encre, regarde ta montre et écris.

Ainsi tu arriveras à la dextérité et tu seras écrivain.»

Au cours d'une tempête épouvantable en plein Atlantique, le navire subit une avarie et doit faire escale à Terre-Neuve pour réparer. Enfin, en pleine nuit, le *Birma* approche des lumières de New York : «J'attends le point du jour, l'aube de ma vie.»

«C'est une nouvelle naissance! Je vois des feux briller, comme à travers l'épaisseur de la chair. Vais-je crier, ainsi qu'un nouveau-né?»

A New York, Féla enseigne, selon la méthode Montessori, à l'école Francisco Ferrer, fondée par des intellectuels, artistes et poètes anarchistes. Mais ses pauvres gains ne suffisent pas pour subvenir aux besoins de son poète et lui permettre de se consacrer à son œuvre. C'est à nouveau la misère. Freddy essaye différents jobs : chez un tailleur, aux abattoirs juifs, pianiste dans un cinéma du Bowery... Jugé incapable, il est renvoyé de partout. Alors, durant le jour il se réfugie pour travailler au chaud à la Central Library, et lorsqu'il sort, les gratte-ciel lui donnent le vertige, «un vertige dû à la faim et je rôdais longtemps aux alentours des brasseries dans l'espoir d'attraper un

A New York, Freddy travaille à la Central Library. Le 5 mai 1912, il écrit à Féla (médaillon en haut, à gauche) : «Il est deux heures. Me voici à la bibliothèque. J'ai donc sept heures d'étude devant moi. C'est bon. C'est ici que je me réfugie. J'ai des livres. Je peux prendre des notes. Mais le recueillement nécessaire ne vient pas. Je pense à toi. Autour de moi des centaines de personnes lisent. Seul, j'ai le nez en l'air. Je te vois... Lentement tu viens. Tu me cherches. Ton regard me découvre. Tu pâlis. Tu palpites... J'ai le vertige.» Ci-dessous, *New York in Flashlight*, premier manuscrit corrigé (27 mai 1912) du texte qui introduit la modernité dans l'œuvre signée du nom nouveau, Blaise Cendrars. Il suit de très près le poème *Pâques à New York* (6-7 avril 1912).

Flashlight

Visions

Mémoires d'un cinématographiste

N.Y.-le 27 mai 1912

De New York (ci-contre, l'église Trinity Church), Blaise Cendrars écrit à son ami Suter en mai 1912 : «Ma situation est des plus précaires. Comment je fais pour vivre ? Je n'en sais rien. Il y a des agonies qui durent dix ans. La mienne durera tout autant, je l'espère. Je n'ai qu'une pensée : écrire ! Je suis malade. Mon crâne se fend comme une grenade trop mûre, un sang chaud m'obstrue les yeux, tombe sur mes mains. J'écris et mes pensées pâlissent, se tordent comme dans une fournaise. J'ai trop de fièvre. Je viens de terminer un petit drame. J'en rédige un deuxième et je veux en composer un troisième jusqu'à la fin de la semaine. Tant que je peux, tant que je peux. Je me hâte. Je veux être prêt. C'est dans ces mauvaises conditions et continuellement aiguillonné par la faim que j'ai terminé, en deux mois, la première partie de mon roman *Aléa*. Tu me parles du nombre de mes écrits. Ce n'est rien en comparaison de ce que j'ai projeté, de ce que je voudrais faire.»

morceau avant de rentrer dans ma taule lointaine.» Pourtant, il maintient sa discipline. «Je n'ai qu'une pensée : écrire !» dit-il dans une lettre à Suter. Rapidement, texte après texte, son style se forme. Le manuscrit de *New York in Flashlight* annonce la métamorphose qui s'opère : «J'ai su combiner les merveilles du monde moderne.»

Pâques de résurrection

«J'ai des choses à faire que j'accomplirai, écrit-il. Ce n'est pas d'être pauvre ou crève-la-faim qui m'empêchera d'écrire. Je suis prêt.»

Page de droite, en bas, ce dessin de la main de Blaise, symbole de solitude, de souffrance, dédié «à Félah», est le frontispice de l'édition originale de *Pâques*, écrit à New York.

En Cendres se transmuent
Ce que j'aime et possède

Tout ce que j'aime et que je tiens
se transmuent aussitôt en
Cendres

Blaise Cendrars

“Je me promène beaucoup par ces beaux jours de printemps. Me voyez-vous rentrer le soir, les souliers crottés par la boue des champs. J'ai la barbe de quinze jours. Mes cheveux sont un peu trop longs. Mon chapeau est déformé. Mon manteau, une pelure. Tous les corrects Américains que je rencontre à cette heure rentrant de leur bureau sont esculaffés, abasourdis. L'on s'arrête, l'on rit. Moi, je file, rasant les murs et je pense, tout bas, qu'ils n'ont pas tout à fait tort.”

Mon voyage en Amérique, avril 1912

La veille de Pâques, Freddy est seul, malade. Il sort, marche dans les rues désertes. Ivre de fatigue, de faim et de souffrance, il entre dans une église presbytérienne où on donne *La Création* de Haydn, mais il s'enfuit lorsque le bedeau fait la quête... A trois heures du matin, Freddy rentre, affamé, et se jette sur son lit «froid comme un cercueil».

«Je me suis réveillé en sursaut. Je me suis mis à écrire, à écrire. Je me suis rendormi. Je me suis réveillé une deuxième fois en sursaut. J'ai écrit jusqu'au petit jour et me suis recouché pour de bon. Je me suis réveillé à cinq heures du soir. J'ai relu la chose. J'avais pondu *Pâques à New York*.»

Cette nuit-là Freddy a tout brûlé : tout et lui-même. Et sous les cendres, la braise. Il renaît et se fait un nom nouveau : Blaise Cendrars. «Je suis le premier de mon nom, puisque c'est moi qui l'ai inventé de toutes pièces.»

Prêt à affronter toutes les difficultés, certain de sa vocation, décidé à poursuivre son travail de recherche – vivre pour écrire –, témoin d'un monde en mutation, Blaise Cendrars s'affirme dans tous les domaines. Poète, il est novateur ; critique d'art, il salue l'avant-garde ; légionnaire, il va jusqu'au bout de la souffrance ; éditeur, il publie textes inconnus et auteurs maudits ; écrivain, il explore la profondeur au-delà des apparences. A la fois solitaire et proche des autres hommes, il est partout présent.

CHAPITRE II
LIBRE ET CRÉATEUR

« J'ai même voulu devenir peintre » : dans un accident de voiture à Saint-Cloud, en 1913, Blaise se casse une jambe. Robert Delaunay lui apporte couleurs et pinceaux. Cendrars, immobilisé, peint 29 tableaux, un par jour jusqu'à sa guérison : ci-contre, le n° 24, *Magic Paris*.

«Les vies grouillantes sont les plus belles. Je grouille»

Le 6 juin 1912, Blaise Cendrars embarque à bord du *Volturno*, un mauvais cargo qui ramène en Europe les tuberculeux, les prostituées, les criminels qui ont été refoulés par les services de santé ou de police d'Ellis Island.

De retour dans le Paris vide de l'été, Blaise solitaire se débat dans «des impasses impossibles où la misère m'assassine». Dans ses lettres à Féla, restée à New York, il avoue ses états d'âme et aussi ses certitudes : «Je réussirai, c'est-à-dire que je ferai ce que je voudrai, c'est-à-dire que j'écrirai.»

Le 1er septembre 1912, il a vingt-cinq ans. Avec ses amis Emil Szittya et Marius Hanot, il fonde une revue libre, *Les Hommes nouveaux*, qui se propose de créer une tribune sans entraves, un mouvement culturel ouvert au monde moderne. Deux mansardes au 4, rue de Savoie, sont à la fois domicile et rédaction, administration, bureau international de traduction et d'édition. La revue n'ira pas plus loin que le troisième numéro, mais le premier livre édité est *Pâques à New York*, dont Blaise Cendrars a envoyé

«Je tourne dans les méridiens comme un écureuil dans sa cage.» Sur cet autoportrait réaliste («cheveux trop longs, chapeau déformé», à gauche), Blaise – oui, désormais, Blaise – se montre triste, fatigué, misérable : c'est ainsi qu'il arrive à Genève, fin juin 1912. Il séjourne alors chez son frère Georges qui a épousé Agnès, fille de Richard Hall, peintre anglais qui, lui, préfère voir le beau-frère de sa fille, un bizarre poète bohème sans le sou, sous l'aspect romantique de ce portrait (ci-dessus).

le manuscrit à Guillaume Apollinaire, poète et critique d'art qui, au *Mercure de France*, tient une rubrique, «La Vie anecdotique».

«Le bloc cubiste s'effrite. Mille tendances se font jour. Il y a donc une beauté nouvelle»

En septembre, Paris se repeuple. Bientôt, la provocante silhouette de Blaise Cendrars et son haut parler intriguent les habitués de Montparnasse et de Montmartre. C'est alors qu'il va voir un certain peintre russe, dans son atelier, à la Ruche, un sauvage «qui peint des vaches et des têtes coupées».

«Cendrars avait fait irruption en riant, écrira Marc Chagall, avec toute sa jeunesse débordante. Comme je parlais mal le français, il me parla en russe. Il ne regardait pas mes tableaux, il les avalait. Et c'est devenu un amour, une amitié de frères. A cette époque, quand montait le cubisme, avec Apollinaire en tête, l'amitié de Cendrars fut pour moi un encouragement.»

Le 10 octobre, Cendrars rencontre Guillaume Apollinaire au Salon de la Section d'or qui réunit, à la galerie de La Boétie, trente et un peintres cubistes. Les critiques tiennent des propos très durs : «Ils s'embrouillent dans leurs théories d'où il ne sort rien.» Ils ont beau être pauvres, ironise-t-on, ils ne sont pas peintres ! Leurs noms, parmi d'autres : Jacques Villon, Juan Gris, André Lhote, Roger de la Fresnaye, Francis Picabia et encore Marcel Duchamp qui présente alors son «scandaleux» tableau *Nu descendant un escalier*. On se moque aussi des incohérences d'un certain Picasso et de son ami Braque.

Avec les peintres ses contemporains, Cendrars a de grandes affinités : «La profondeur est l'inspiration nouvelle ... Les sens y sont. Et l'esprit.» Il est en accord avec Apollinaire (en bas) sur leurs recherches – remonter aux sources, remettre tout en question, réviser toutes les valeurs esthétiques – position comparable à la sienne en littérature. «Durant ces six ou sept ans, qui vont de 1907 ou 8 à 1914, il fut dépensé dans les ateliers des jeunes peintres de Paris des trésors de patience, d'analyse, d'investigation, d'érudition, et jamais ne flamba un tel brasier d'intelligence ! Tout fut examiné par les peintres, l'art des contemporains, les styles de toutes les époques, l'expression plastique de tous les peuples, les théories de tous les temps.» Ses amis ? Chagall, «dont la moindre aquarelle enfonce les grandes compositions cubistes», Léger le «lourdaud» (pages suivantes, à gauche, *Les Toits de Paris*, 1912), Survage pour la «rythmique des couleurs», Braque, un pur, «dont la doctrine est la qualité», Picasso, le «premier peintre libéré», Delaunay (pages suivantes, à droite, *Champ-de-Mars : la tour rouge*, 1911), Kisling, Modigliani, Soutine, Hayden, Zarraga, Czaky...

Blaise, lui, est immédiatement conscient de l'importance de ce mouvement dans l'évolution de la peinture moderne. Particulièrement attiré par les contrastes et la franchise des couleurs de la toile de Fernand Léger, il s'en fait un ami : ce sera pour la vie.

Le premier livre simultané

Quelques jours plus tard, chez Robert et Sonia Delaunay, en présence de Guillaume Apollinaire, Blaise Cendrars lit son poème *Pâques à New York*. Tous sont bouleversés. Blaise exulte. Il écrit à Suter : «Apollinaire a dit que c'est le meilleur de tous les

Cet *Hommage à Apollinaire* (1913, ci-dessous), symbole de l'unité féminin-masculin, est dédicacé par Chagall à ses amis dont les noms en carré entourent un cœur : Cendra(r)s, qui l'a présenté à Canudo de la revue *Montjoie!*, à Walden de la revue berlinoise *Der Sturm*, à Apollinaire de *Soirées de Paris*.

poèmes publiés dans le *Mercure* depuis dix ans.»

L'amitié des deux poètes se confirme. Ensemble, ils se promènent dans Paris, échangent leurs idées, se racontent leurs rêves, leurs vies... et celle de Blaise, multiple, mouvementée, intense, prend le tour légendaire qui ne le quittera jamais.

Apollinaire confie à Blaise des travaux alimentaires : copier à la bibliothèque Mazarine d'anciens textes, des romans de chevalerie, des récits historiques, et les adapter pour la collection qu'il dirige, «La Bibliothèque des curieux».

Chez les Delaunay, Blaise trouve une atmosphère chaleureuse. «Le génie de Blaise est évident : il suffit de l'entendre parler, on le découvre même sans avoir lu ses poèmes», dit Sonia Delaunay. Avec Robert, ce sont de «grandes parleries» sur les machines, sur l'art, sur la transformation du monde moderne. Blaise décrira les passionnantes recherches de Robert sur la lumière. Avec Sonia – il aime lui parler en russe ! – il discute d'un grand projet : traduire en couleurs le rythme et l'émotion du nouveau poème auquel il travaille et lui inventer forme et typographie inédites. De leur collaboration naît un livre comme on n'en a jamais vu, un objet extraordinaire. Le premier livre simultané. *Prose du Transsibérien et de la Petite Jehanne de France.* «J'ai employé le mot "prose"

Ci-dessus, prospectus pour le *Premier Livre simultané.*

Enfermé dans une chambre noire, Delaunay (en haut) perce dans le volet un trou qu'il agrandit jour après jour : il analyse le rayon de soleil, la lumière pure, source d'émotion hors de tout sujet. Ce sera sa série *Les Fenêtres,* expérience que Blaise décrira dans *Aujourd'hui.*

dans le *Transsibérien* dans le sens bas-latin de *prosa, dictu*. Poème me semblait trop prétentieux, trop fermé. Prose est plus ouvert, populaire.»

Dans l'effervescence d'un Paris partagé entre la bohème et la bourgeoisie, entre les derniers souffles du symbolisme et les créations novatrices dans tous les domaines, les réactions ne se font pas attendre : avant même d'en voir un exemplaire, les critiques en font des comptes rendus féroces.

«D'avoir publié les *Pâques à New York* en octobre 1912 me valut l'inimitié des bonzes et des pontifes qui, dès l'année suivante, quand je publiai le *Transsibérien*, le premier livre simultané, me traitèrent d'épigone et m'accusèrent de plagiat. Je me suis fait mes premiers ennemis littéraires.» La polémique dont le «métèque» Cendrars est l'objet, alimentée par les journalistes de *La Liberté*, de *Gil Blas*, de *Paris-Journal*, ne se calmera qu'en 1914, lorsque les bruits annonciateurs de la guerre se feront très inquiétants.

L'invention de formes d'édition nouvelles est une des passions de Blaise. Pour *La Guerre au Luxembourg*, premier poème écrit après son amputation, paru en 1916, les illustrations sont de son ami Moïse Kisling (en bas à gauche, l'une d'elles), engagé volontaire et blessé comme lui. Lorsque, enfin, en 1919, il pourra publier *Le Panama ou les aventures de mes sept oncles*, son troisième grand poème, écrit avant la guerre, ce sera aux éditions de La Sirène qu'il dirige : le livre se plie comme un indicateur de chemin de fer américain : ci-dessus, la double couverture, ouverte à plat ; elle a été composée par son ami Raoul Dufy.

«Au front, j'étais soldat. J'ai tiré des coups de fusil, je n'ai pas écrit»

Blaise et Féla, rentrée de New York au printemps 1913, vont vivre à Forges-par-Barbizon, dans une bicoque de paysans, leur premier foyer. Blaise Cendrars va de l'avant, sa poésie est libre. Instants, espaces, mouvements, contrastes... le contraste est amour, profondeur. Il écrit les *Dix-Neuf*

Poèmes élastiques et l'ébauche d'une nouvelle épopée poétique, *Le Panama ou les aventures de mes sept oncles*. Il fait l'aller-retour entre le village et les mansardes du 4, rue de Savoie où, malgré le désordre apparent, sont rangés ses projets. Sur un carton plié en guise de chemise, le titre *Moravagine* est déjà inscrit.

Le 7 avril 1914, Blaise annonce à son ami Suter la naissance, à Paris, de son fils Odilon, prénom du peintre Odilon Redon, dont Blaise aime l'inspiration et les couleurs oniriques. Une famille! Il faut bien l'accepter. Blaise et Féla se marient et retournent à la campagne, à Saint-Martin-en-Bière.

Le 3 août, l'Allemagne déclare la guerre à la France. Le monde entier, cette humanité dont Blaise fait partie, est entraîné dans le conflit. Blaise Cendrars, le poète suisse, et Riciotto Canudo, le poète italien, rédigent un «claironnant appel» que *Le Gaulois*, *Le Figaro* et *Le Matin*, puis *L'Intransigeant* et *Le Temps* publient. Par milliers, les étrangers répondent. Le volontaire de première classe Sauser, dit Cendrars,

“L'heure est grave. Tout homme digne de ce nom doit aujourd'hui agir, doit se défendre de rester inactif au milieu de la plus formidable déflagration que l'histoire ait jamais pu enregistrer. Toute hésitation serait un crime. Point de paroles, donc des actes. Des étrangers amis de la France, qui pendant leur séjour en France ont appris à l'aimer et à la chérir comme une seconde patrie, sentent le besoin impérieux de lui offrir leurs bras. Intellectuels, étudiants, ouvriers, hommes valides de toute sorte, nés ailleurs, domiciliés ici, nous qui avons trouvé en France la nourriture matérielle, groupons-nous en un faisceau solide de volontés mises au service de la plus grande France. Signé : Blaise Cendrars, Leonard Sarlius, Czaky, Kaplan, Berr, Oknosky, Isbicki, Schoumoff, Roldireff, Kozline, Essen, Lipchitz, Frisendahl, Israilivitch, Vertepoff, Canudo.”

3 août 1914, *Appel à tous les étrangers*

Ci-contre, deux poilus dans une tranchée pendant la Grande Guerre.

est incorporé au 3e régiment de marche de la Légion étrangère, 6e compagnie, matricule 1529.

Le régiment est d'abord posté près de Frise, au bord des marais de la Somme. Sous les tirs de l'ennemi, dans la boue jusqu'au ventre, les hommes creusent des tranchées. Les Allemands sont à 180 mètres de l'autre côté du village. Attaques, contre-attaques, coups de main, les premiers blessés, les premiers morts. Franz Kupka, le peintre cubiste, est évacué avec les autres malades du «pied de tranchée», comme les médecins nomment l'infection et la gangrène dues aux longs stationnements dans la boue.

«En moins de trois mois, les premières horreurs de la guerre avaient déjà marqué nombre d'adolescents de flétrissures pires que des plaies béantes ou que des cicatrices et j'avais vu plus d'un visage parmi mes jeunes camarades se fermer comme un masque sur un intolérable, un douloureux secret (je n'avais d'ailleurs qu'à m'interroger moi-même pour savoir que mon cœur n'était plus qu'un petit tas de cendres sous lequel deux, trois braises couvaient qui allaient se consumant tout en me faisant un mal mortel)».

Le 11 juillet 1915, première permission de trois jours. Il fait nuit lorsque Blaise arrive au village. Dans son demi-sommeil, Féla entend siffler : c'est lui ! Hâlé, barbu, son effrayant permissionnaire pue la boue, la crasse, les tranchées, c'est un inconnu au regard fou, un homme cassé, coupable d'être vivant, qui l'entraîne brutalement dans un amour désespéré. Il ne sera plus jamais l'homme de Berne, de New York et du Paris heureux.

«A qui était cette main, ce bras droit, ce sang qui coulait comme la sève?»

Le 1er septembre 1915, pour le vingt-huitième anniversaire de Blaise, Suter lui écrit : «Nous buvons à ta santé.» Et Blaise : «Buvez, buvez. J'ai bu d'un seul trait toute une année de guerre. C'est vieux, vieux. Guerre,

“Cette guerre est une douloureuse délivrance pour accoucher de la liberté. Cela me va comme un gant. Réaction ou Révolution – l'homme doit devenir plus humain. Je reviendrai. Cela ne fait point de doute. B.C. L'engagé volontaire.”

Lettre à Suter, septembre 1914

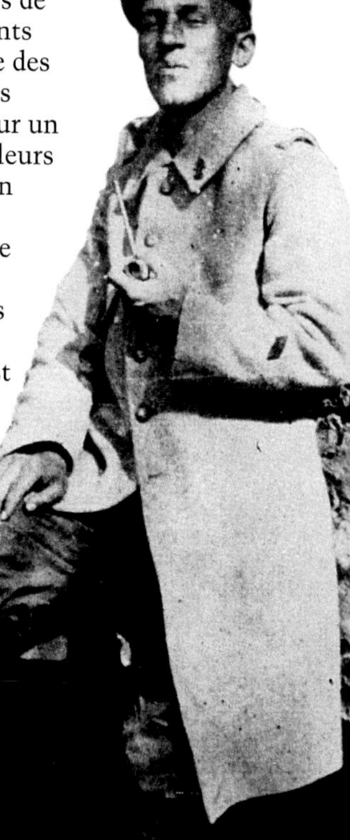

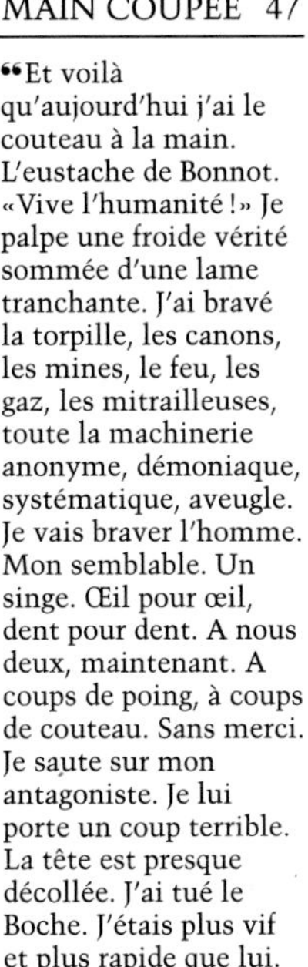

“Et voilà qu'aujourd'hui j'ai le couteau à la main. L'eustache de Bonnot. «Vive l'humanité !» Je palpe une froide vérité sommée d'une lame tranchante. J'ai bravé la torpille, les canons, les mines, le feu, les gaz, les mitrailleuses, toute la machinerie anonyme, démoniaque, systématique, aveugle. Je vais braver l'homme. Mon semblable. Un singe. Œil pour œil, dent pour dent. A nous deux, maintenant. A coups de poing, à coups de couteau. Sans merci. Je saute sur mon antagoniste. Je lui porte un coup terrible. La tête est presque décollée. J'ai tué le Boche. J'étais plus vif et plus rapide que lui. Plus direct. J'ai frappé le premier. J'ai le sens de la réalité, moi, poète. J'ai agi. J'ai tué. Comme celui qui veut vivre.”

J'ai tué, 1918

canons, Féla, sang, batailles, mines, mon fils, mes livres, les morts – je suis plus seul et détaché que jamais. Il n'y a plus que des choses comme les aventures du général Sutter qui m'intéressent encore, et non pas sa vie, mais les sursauts intimes de sa conscience. J'y pense souvent.»

Cendrars est versé au 2e régiment de marche du 1er étranger, la célèbre division du Maroc, transportée en Champagne pouilleuse. Le 13 septembre 1915, Raymond Poincaré passe en revue la division – la cérémonie se déroule dans une atmosphère d'angoisse, aggravée encore lorsqu'on distribue aux troupes d'attaque des couteaux de boucherie gainés de cuir. Les «nettoyeurs de tranchée» sont armés pour un combat au couteau, au temps de la guerre industrielle !

Un des premiers textes de la main gauche de Cendrars sera l'extraordinaire *J'ai tué* qui décrit l'énorme machine mise en œuvre à l'échelle mondiale pour aboutir à l'insupportable affrontement, le corps à corps.

En haut, la couverture de Fernand Léger pour le livre de Cendrars *J'ai tué*, publié aux éditions Bernouard en 1918.

Le mardi 28 septembre 1915, à dix-neuf heures trente, le régiment de Cendrars se lance à l'attaque. Il pleut. Les mitrailleuses allemandes ouvrent un tir concentré. C'est un massacre. Le caporal Sauser, aux approches de la ferme Navarin, est atteint par une rafale de mitrailleuse. Le bras droit de Blaise Cendrars est arraché. Trente ans plus tard, dans *La Main coupée*, il écrira : «Légion ou pas Légion. Je m'étais engagé et comme plusieurs fois déjà dans ma vie, j'étais prêt à aller jusqu'au bout de mon acte. Mais je ne savais pas que la Légion me ferait boire ce calice jusqu'à la lie et que cette lie me saoulerait et que je finirais par m'affranchir de tout pour conquérir ma liberté d'homme. Etre. Etre un homme. Et découvrir la solitude.»

L'ami Modigliani fera un grand nombre de portraits de Blaise, rapides sur les nappes en papier des bistros ou très travaillés, comme celui-ci, en 1918.

La conquête de la main gauche

Opéré, réopéré, souffrant atrocement de son bras fantôme comme il en souffrira toute sa vie, atterré par l'arrivée en avril d'un deuxième enfant, Rémy (comme Gourmont, à cause de ses «yeux de faune»), Blaise, entre les séjours dans les hôpitaux militaires, retrouve à Paris son camarade Modigliani et se laisse entraîner dans une vie de désordre, d'ivrognerie, de désespoir : «Une époque dont je ne suis pas fier. J'étais toujours entre deux vins et me mettais facilement en colère. Il est vrai que je ne mangeais pas tous les jours et que si je rencontrais à chaque pas des types qui payaient à boire à l'amputé, personne n'invitait jamais le poète à déjeuner. Cela n'a duré qu'un an, mais ça a été une année terrible.»

Avec sa médaille militaire n° 2110, il reçoit sa citation à l'ordre de l'armée n° 434 : «Bien que grièvement blessé au début de l'attaque du 28. 9. 15 et épuisé par la perte du sang a continué à entraîner son escouade à l'assaut et est resté avec elle jusqu'à la fin de l'action.»

Dans *L'Homme foudroyé*, trente ans plus tard, Blaise a décrit sa découverte, au printemps 1916, du hameau de La Pierre, par Méréville. Il s'y installe avec Féla et les enfants. Le 28 avril, il écrit à Suter : «Je travaille. Pouvez-vous m'envoyer ce qui a été publié, en Suisse, sur le général Sutter, votre grand-oncle?»

Ci-contre, l'empreinte de la main de Cendrars, au dos de laquelle on peut lire : «C'est la main d'un grand mystique : puissante, élégante, allie la force et l'esthétique. Un être créateur magnétisé par l'aventure et l'exploration insolites, le merveilleux et la pureté.»

1917. «La "Vita Nuova" : on devient un homme nouveau»

Inspiré, dans la nuit du 1er septembre 1917, son trentième anniversaire, Cendrars écrit d'une traite l'étrange «scénario» de la destruction et de la transfiguration universelle, *La Fin du monde filmée par l'ange Notre-Dame* : «Ma plus belle nuit d'écriture, comme on se rappelle sa plus belle nuit d'amour.» Cette nuit-là, sa nuit de l'inconnaissance, Blaise a vécu une profonde expérience, une nouvelle métamorphose. Par la perte de sa main droite, il accède à une écriture une fois de plus renouvelée, par le fond et par la forme, celle de la main gauche.

«Je ne sais plus si je regarde un ciel étoilé à l'œil nu ou une goutte d'eau au microscope. Phénomènes de cette hallucination congénitale qu'est la vie dans toutes ses manifestations et l'activité continue de la conscience», écrit-il dans *Profond aujourd'hui*.

Le couturier et mécène Jacques Doucet, collectionneur de manuscrits, offre à Blaise Cendrars une petite pension en échange d'une lettre mensuelle. Blaise préfère lui proposer un récit dont il écrira un chapitre par mois pendant un an : «Ce que je vous

Cendrars a dessiné lui-même la couverture de *La Fin du monde filmée par l'ange Notre-Dame* (ci-dessous, à gauche), puis il l'a mise au point avec Fernand Léger qui a illustré le texte de compositions en couleurs pour les éditions de la Sirène (1919, ci-dessous, à droite).

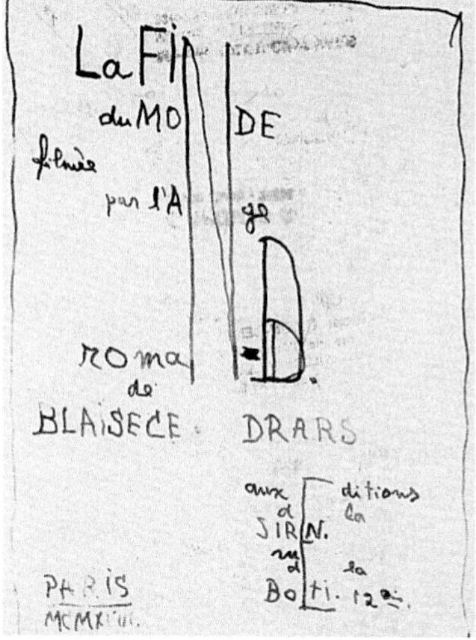

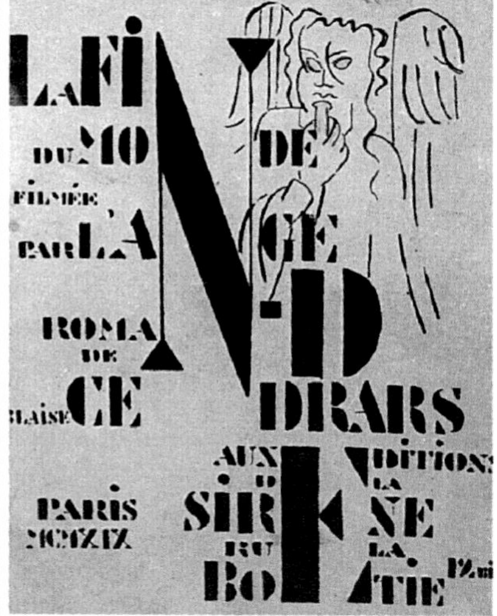

envoie est la relation pure et simple du voyage que j'ai fait dans les montagnes suprastellaires, région inexplorée qui est comme l'hinterland du ciel, où prennent source les forces et les formes de ce qui a nom la Vie et l'Esprit.» C'est *L'Eubage. Aux antipodes de l'unité*, révélateur de l'intime recherche du poète, l'extraordinaire aventure de l'eubage – l'initié de la tradition celte –, qui atteint à la vérité secrète de la Création.

Blaise va et vient entre Cannes, Nice, La Pierre et Paris. A Montparnasse, il retrouve ses amis Czaky, Soutine, Picabia de retour d'Amérique, Kisling blessé de guerre, Léger en permission et Apollinaire qu'il va voir à l'hôpital du Val-de-Grâce où le poète a été trépané à la suite d'une grave blessure. Il participe à l'organisation de concerts et de soirées poétiques

«Je vous parle de la poésie. Du malentendu de la poésie moderne. Des surréalistes. Après Dada, j'ai vainement attendu quelque chose d'eux, quelque chose d'inédit, de nouveau. J'ai toujours fait crédit aux jeunes. Les surréalistes devaient faire table rase. Ils l'ont annoncé cent fois. Ils étaient bourrés de talent, les bougres. Il n'en a rien été.» Pourtant le «doux Philippe Soupault» (ci-dessus), Desnos, Reverdy, furent de bons amis de Blaise.

A gauche, le Groupe des Six : Milhaud, Honegger, Durey, Poulenc, Germaine Tailleferre, et Auric, dont Cocteau (au premier plan) a dessiné le portrait.

à la salle Huyghens avec les musiciens de l'«esprit nouveau», Louis Durey, Georges Auric, Arthur Honegger, Darius Milhaud, Francis Poulenc, Germaine Tailleferre, qui formeront le Groupe des Six, et Erik Satie, dont la musique spirituelle «s'écoute sans se prendre la tête dans les mains».

Tristan Tzara lance le mouvement Dada, auquel Blaise reconnaît la capacité d'opposition aux idées reçues, avant d'être déçu par sa systématisation. Au café de Flore de Saint-Germain-des-Prés, il s'intéresse aux jeunes de vingt ans qui vont créer le surréalisme, le beau Louis Aragon, l'adolescent Robert Desnos – «un grand poète. Un vrai» – qui a l'âge de Blaise à l'époque du Transsibérien et, si Cendrars ne se sent pas attiré par André Breton, il éprouve en revanche une grande amitié pour Philippe Soupault qui écrira : «Il a été pour moi, comme pour tant d'autres : non un poète, mais *le* poète. Quelqu'un d'une générosité insensée. Au temps où je m'apprêtais à publier mes poèmes de la *Rose des vents*, j'allais le voir dans son capharnaüm de la rue de Savoie : un jour, il me tendit une poignée de dessins de Chagall, grâce à quoi je pus illustrer mon livre, et magnifiquement.»

Raymone racontera sa rencontre avec Blaise : «Tout à coup est arrivé en face de moi un garçon qui portait... l'habit... d'un mort... pâle, très pâle, des yeux extraordinaires : des gens en avaient peur. Blaise a dit : j'ai des billets pour le théâtre. Au moment où, avec ma sœur, nous repartions, deux femmes ont dit tout haut, en regardant Cendrars : "ces deux putes pourraient bien lui donner à manger", tellement il était maigre, maigre comme sur son lit de mort.»

Critique d'art, éditeur et cinéaste

En 1917, l'éditeur Paul Laffitte confie la direction des Editions de la Sirène à Blaise Cendrars qui s'adjoint la collaboration de Jean Cocteau et élabore aussitôt un ambitieux programme comprenant Villon, Poe, Nerval, Baudelaire, Lautréamont, les *Mémoires* de Casanova. Un des premiers livres sortis des presses sera – enfin ! – *Le Panama ou les aventures de mes sept oncles*.

Lorsque le metteur en scène Abel Gance recrute des «authentiques rescapés de l'enfer de la guerre», des «gueules cassées» pour la scène des «morts qui reviennent» de son film *J'accuse*, Paul Laffitte lui présente Blaise Cendrars qui, avec la souffrance infinie de son regard et son bras coupé, est non seulement le figurant mais aussi l'assistant qu'il cherche. Une forte amitié les lie. En 1920, Gance fera appel à lui pour le tournage du film *La Roue*. Passionné de cinéma, visionnaire, Cendrars prévoit l'ère de l'image.

Automne 1918 : Blaise est figurant dans le film *J'accuse*, d'Abel Gance, qui témoigne : «Il m'aida magnifiquement à animer la scène des morts qui reviennent» (ci-contre). Et Blaise : «Je faisais tout. L'homme de peine, l'accessoiriste, l'électricien, l'artificier, de la figuration et de la régie, l'aide opérateur, le vice-metteur en scène, le chauffeur du patron et, dans cette scène, je faisais un macchabée, tout empoissé dans de l'hémoglobine de cheval car on m'avait fait perdre mon bras une deuxième fois pour les besoins de la prise de vue.» En 1920, pour le tournage de *La Roue*, Cendrars assiste Abel Gance. Le soir, au repos, ils échangent leurs idées. «C'est à Blaise, dont la culture ésotérique était grande, dira Gance, que je dois la connaissance de Jacob Boehme, qui a tenu une place essentielle dans ma pensée.» La revue *Littérature* prépublie *Moravagine : M.43.57.Z*, chapitre d'un livre annoncé. «Je me rappelle la lecture du manuscrit encore incomplet de *Moravagine*, écrira Gance. En suite de quoi j'inscrirai le nom de Cendrars immédiatement après Novalis et Rimbaud, au nombre de mes "phares".»

Cendrars écrit ainsi : «Les derniers aboutissements des sciences précises, la guerre mondiale, la conception de la relativité, les convulsions politiques, tout fait prévoir que nous nous acheminons vers une nouvelle synthèse de l'esprit humain, vers une nouvelle humanité et qu'une race d'hommes nouveaux va paraître. Leur langage sera le cinéma.»

Un jeune étudiant, Jean Epstein, futur réalisateur, se reconnaît dans la pensée de Cendrars et va le voir : durant une nuit entière, les deux hommes échangent leurs points de vue sur l'art cinématographique. Tandis qu'il publie lui-même l'*ABC du cinéma*, Blaise fait paraître aux Editions de la Sirène la plaquette *Bonjour cinéma* de son jeune ami.

Dans la revue *La Rose rouge* de Maurice Magre, Cendrars signe une série d'articles sur la peinture, élabore des scénarios, en même temps qu'il travaille à son *Anthologie nègre*, première compilation sur la millénaire tradition orale des peuples africains. Ouvrage précurseur, dont Michel Leiris, sensible à l'amour et à l'ouverture d'esprit qui ont inspiré Cendrars, dira : «Plus qu'un livre, c'est un acte.»

«Le comput de ma vie d'homme commence en 1917» : le nouveau calendrier de Blaise

Le 27 octobre 1917, Blaise rencontre une jeune comédienne, Raymone Duchâteau, petite provinciale à l'air candide, arrivée depuis peu de Gardanne, sa ville natale. Une «vraie jeune fille», étrangement énigmatique, au langage cocasse, mêlé d'humour et souvent acéré. Cet homme ravagé, de dix ans son aîné, fait peur à Raymone. La main unique qui a pris la sienne pour ne plus la lâcher, c'était «la main d'un mort, se souvient-elle, il n'avait plus de sang dans les veines». Pour Blaise, Raymone représentera l'Amour absolu qu'il a rêvé.

Convaincu que la poésie qui prend vogue à Paris semble «devenir la base d'un malentendu spirituel et d'une confusion mentale», Blaise écrit, évoquant cet automne 1917 : «Je quittai mes amis les poètes sans qu'aucun deux ne se doutât que je m'éloignais pour m'épanouir et me fortifier dans l'Amour, sur un plan où tout : actes, pensées, sentiments, paroles, est une

“Cent mondes, mille mouvements un million de drames entrent simultanément dans le champ de cet œil dont le cinéma a doté l'homme. Vie de la profondeur.”
ABC du cinéma

L'article de Cendrars publié dans *La Rose rouge* en 1919, sur la fin de l'école cubiste – «Pourquoi le cube s'effrite» – lui valut quelques brouilles avec plusieurs peintres. L'écrivain soulignera, en 1950, que cet article sert de préface aux albums de reproductions de ces mêmes peintres...

communion universelle après quoi, chose que j'ignorais moi-même alors, comme on entre en religion et franchit le cloître dont la grille se referme silencieusement sur vous, sans avoir prononcé de vœux, on est dans la solitude intégrale. En cage. Mais avec Dieu. C'est une grande force. Et l'on se tait par désir du Verbe.» Ce Blaise-là vivra secrètement, à l'abri du Cendrars bourlingueur, légendaire, toujours ailleurs, et s'exprimera à travers toute son œuvre, irriguée par cet Amour en profondeur.

Blaise ne tient pas en place. Paris l'exaspère, avec ses chapelles littéraires, ses théories, ses intrigues. Et sa famille lui pèse, avec un troisième enfant, Miriam, née en 1919.

«Je te conseille de rester en Italie», écrit Blaise à sa femme, Féla, avant de quitter Rome. Blaise, poète, créateur, a besoin d'être libre de toute entrave, explique-t-elle aux enfants : les FROM, Féla, Rémy, Odilon, Miriam (à gauche), peuvent être fiers d'un père trop génial pour se conformer à l'image conventionnelle du «papa».

Après l'*Anthologie nègre*, Cendrars publie en 1928 les *Petits Contes nègres pour les enfants des Blancs*, dont une belle édition fut illustrée par Pierre Pinsard (ci-dessous).

«Un million de drames entrent simultanément dans le champ de cet œil dont le cinéma a doté l'homme.»

Partir ! Une proposition tombe à pic : tourner un film, à Rome. Ce sera son scénario *La Vénus noire*. Il lui faut tenter l'aventure de cette nouvelle écriture. Et puis, qui sait ? avec le cinéma, on peut faire fortune. Pendant un an, dans les studios, les difficultés du travail en équipe s'accumulent : décors pas prêts, «jus» coupé, costumes pas arrivés... Puis la catastrophe : Dourga, la vedette, tombe gravement malade. Et, bouleversement final, Mussolini et le Partito Nazionale Fascista sèment la terreur, les studios sont brutalement fermés. Blaise rentre à Paris bredouille, sans un sou. Il faut repartir de zéro.

« Les trois états de l'écriture : Premièrement, un état de pensée. Je vise l'horizon, je happe les pensées au vol, je les encage toutes vivantes, pêle-mêle, vite et beaucoup, sténographie. Deuxièmement, un état de style. Je trie mes pensées, je les choisis, je les dresse, elle courent empanachées dans les phrases, calligraphie. Troisièmement, un état de mot. Correction, souci du détail neuf, le terme juste, exact, claquant comme un coup de fouet et qui fait que la pensée se cabre, typographie. »

CHAPITRE III
« QUAND TU AIMES IL FAUT PARTIR »

Des quatre coins du monde cette signature célèbre arrive aux amis sur cartes exotiques et sur les lettres à Raymone (à gauche), l'élue d'un amour idéal, toujours présente aux retours du bourlingueur, comme à ses nouveaux départs imprévus.

Au Tremblay-sur-Mauldre : entre retours et départs

Dans la petite maison de paysans que Raymone vient d'acquérir et de mettre à sa disposition, Blaise trouve l'isolement nécessaire pour se remettre à l'écriture, «misère comme avant» dit-il à Féla restée en Italie avec les trois enfants. Il sort de ses malles les dossiers des «33 titres en préparation». L'éditeur René Hilsum, qui attend le *Moravagine* promis, témoigne : «Une chose qu'on dit rarement de lui est plus qu'importante : son insatisfaction constante à l'égard de ce qu'il écrivait. Il était un grand poète et un grand écrivain mais, dans sa pensée, il était encore loin de ce qu'il aurait voulu être.»

Pour quelques sous, il donne des conférences en Belgique ou en Espagne, place des textes dans différentes revues et, dans *Les Feuilles libres*, il publie *Moganni Nameh*, illustré de photographies de Man Ray, de dessins d'André Lhote, de Modigliani, et de la reproduction d'une sculpture de Lipchitz.

S'il s'est éloigné des chapelles littéraires de la capitale, s'il a «quitté les poètes», doutant de la capacité des surréalistes à poursuivre la rénovation de la littérature, Cendrars n'en reste pas moins profondément poète : en même temps qu'il écrit *Continent noir* et *Les Grands Fétiches*, il compose un

Les amis fondateurs de la revue *L'Esprit nouveau* viennent au Tremblay : ci-dessous, Le Corbusier et sa femme, Léger, Blaise.

nouveau volume, *Kodak*, avec une belle couverture de Francis Picabia. La plupart des critiques, Pierre-Jean Jouve en tête, l'accueillent avec grands éloges. Mais la firme Kodak proteste contre l'utilisation «à tort et à travers» de sa marque et, sous la menace d'un procès, le titre du livre, changé, devient *Documentaires*.

Ces poèmes enferment un secret, dont Cendrars donnera la clé en 1945, dans un paragraphe sibyllin de *L'Homme foudroyé* : «Des années plus tard, j'eus la cruauté d'apporter à Le Rouge un volume de poèmes et de lui faire constater de visu, en les lui faisant lire, une vingtaine de poèmes originaux que j'avais taillés à coups de ciseaux dans l'un de ses ouvrages en prose, et que j'avais publiés sous mon nom ! (Avis aux chercheurs et aux curieux.)»

Au Tremblay, Blaise est entouré d'amis – Ambroise Vollard, Picasso, Rouault, Picabia, Léger, Le Corbusier, Crommelynck, et Jacques-Henry Lévesque, son fidèle ami-documentaliste-confident.

«Relever le défi était tentant et difficile», écrit Francis Lacassin, «chercheur curieux» : c'est lui qui révéla l'amitié secrète de Cendrars pour Gustave Le Rouge et découvrit que *Le Mystérieux Docteur Cornélius* de Le Rouge fut la source de *Kodak*. «Sur le plan de la création, écrit-il dans la revue *Europe* de juin 1976, *Kodak* est un chef-d'œuvre, et sur celui de l'écriture c'est l'exemple idéal de la collaboration littéraire.»

Avec son Alfa Romeo (page de gauche), dont la carrosserie a été dessinée par Braque, Blaise est libre : «Au volant je vise le cœur de la solitude, assis dans la joie de la contemplation, le pied sur l'accélérateur. Mes pensées volent. Je n'ai aucun regret et plus de désir.»

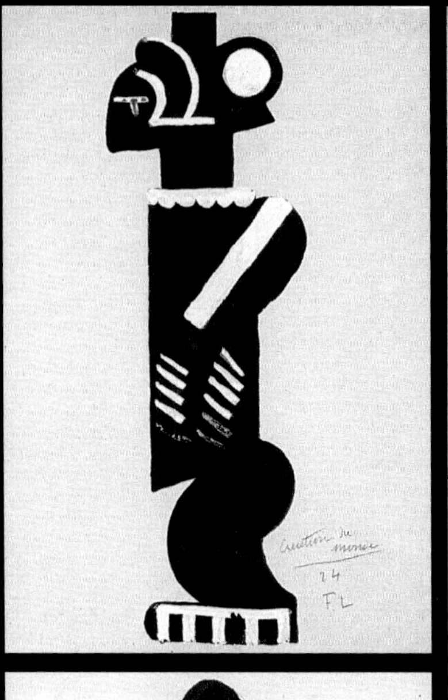
Création du
monde
24
F.L

Création du
monde
24

En 1923, Rolf de Maré (en bas, à gauche de Cendrars), passionné de musique et de danse traditionnelles, fait appel, pour sa Compagnie des Ballets suédois, à l'auteur de l'*Anthologie nègre*. Ce sera *La Création du monde*, sur un livret de Cendrars, d'après son poème *Fân*. La musique est de Darius Milhaud (assis) qui, de retour d'Amérique, est enthousiasmé par le jazz, ses rythmes, l'emploi de la syncope ; les décors (ci-contre) et les costumes sont de Léger (en casquette), la chorégraphie est de Jean Börlin. Au Théâtre des Champs-Elysées, le 25 octobre, le ballet est un triomphe. Cendrars reçoit la commande d'un nouveau ballet, sur une musique d'Erik Satie, avec des décors de Francis Picabia. Mais Blaise, prêt pour une nouvelle aventure, s'embarque pour le Brésil. De Dakar, il envoie son livret, qui sera transformé, puis écarté. Seule sera retenue son idée d'un film à projeter entre les deux parties du spectacle : c'est ainsi que René Clair tourne *Entr'acte* pour le ballet *Relâche*.

L'aventure au Brésil : «l'action seule libère»

«Blaise Cendrars a éclaté en nous comme une grenade au petit matin», écrit Mario de Andrade, un des plus jeunes poètes du *Movimento modernista*, avant-garde brésilienne formée en 1922 à São Paulo.

A Paris, en mai 1923, Oswald de Andrade, journaliste et romancier, et sa femme le peintre Tarsila de Amaral font la connaissance de Cendrars : «Il vivait dans une effervescence continuelle, personnifiant au théâtre, en littérature, pour les arts plastiques même, les conceptions les plus agressives contre les modèles du passé.» De passage en France, Paulo Prado, le «roi du café», bibliophile, passionné d'art, de littérature, de poésie, «un spécimen hors série de l'aristocratie brésilienne», rencontre Blaise Cendrars, lui aussi «un spécimen hors série du monde moderne», et l'invite au Brésil.

Partir! Fin janvier 1924, Blaise embarque au Havre à bord du *Formose*. «Heureux comme un roi! Riche comme un milliardaire! Libre comme un homme.»

Ecrire. Il emporte un nouveau Cahier. Déjà le titre est trouvé : *Feuilles de route*. Le poème «Bagage» énonce le contenu de sa malle : le manuscrit de *Moravagine*, le manuscrit du *Plan de l'Aiguille*, le manuscrit d'un ballet envoyé à Satie, le manuscrit du *Cœur du monde*, le manuscrit de l'*Equatoria*, un paquet de *Contes nègres* pour le deuxième volume de l'*Anthologie*, les deux gros volumes du Dictionnaire Darmesteter, sa Remington portable dernier modèle, des kilos de papier blanc.

L'arrivée à Santos, le port de São Paulo, tient du gag.

Dans l'Etat de São Paulo, Blaise séjourne souvent à la *fazenda* Santo Antonio de Dona Olivia Guedes Penteado (ci-contre, à gauche, avec l'amie peintre Tarsila de Amaral, son mari, l'écrivain moderniste Oswald de Andrade, et son fils Noné). Ci-dessous, Cendrars à bord du *Formose*, en route vers le Brésil (février 1924).

La police de contrôle à l'immigration est formelle : le Brésil n'a que faire d'un handicapé. Pour entrer dans ce pays, il faut deux bras. Le Senhor Cendrars sera refoulé ! Paulo Prado intervient. C'est une chance, car ce manchot mettra son unique main et son génie au service du Brésil. Ses amis disent : le Blaisil !

«Nulle part au monde je ne fus aussi frappé par la grandeur manifeste d'aujourd'hui et par la beauté immuable de l'activité humaine qu'en débarquant, pour la première fois, au Brésil.» Paulo Prado reçoit son hôte à la *fazenda* San Martinho. A la demande des *modernistas*, Cendrars donne une série de conférences hors de tout conformisme sur la poésie moderne française, la littérature nègre, la linguistique, la peinture contemporaine. La presse lui consacre de grands titres. Il est célèbre.

En route avec les «modernistas»

Avec ses amis paulistes, Cendrars part pour un long périple jusqu'au cœur du Brésil, le Minas Gerais, la région des mines d'or et de diamants. Au bout du voyage, à Lagoa Santa, le secrétaire d'Etat à l'Agriculture offre à Blaise Cendrars, au nom du gouvernement, une vaste étendue de terres !

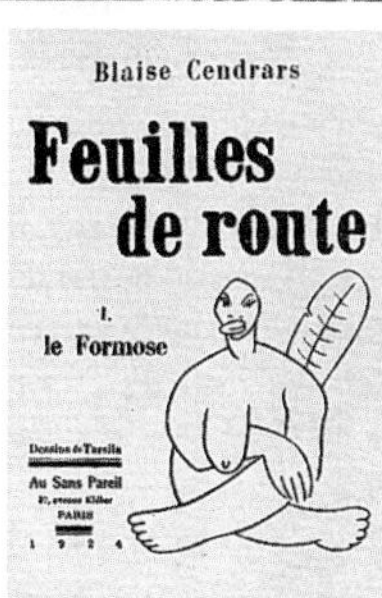

«Orion
C'est mon étoile /
Elle a la forme d'une main / C'est ma main montée au ciel... /
Aujourd'hui je l'ai au-dessus de ma tête /
Le grand mât perce la paume de cette main qui doit souffrir /
Comme ma main coupée me fait souffrir percée qu'elle est d'un dard perpétuel.»

Feuilles de route

Le premier voyage au Brésil est une initiation, tant pour Blaise que pour les Brésiliens qui, par ses yeux et ses réactions, découvrent la culture de leur propre pays, creuset des populations noires, métis, indiennes, portugaises. Le mouvement *Pau Brasil* – Bois du Brésil, ce bois rouge comme braise… comme Blaise ! – se concrétise. Dans son ouvrage *A Aventura brasileira de Blaise Cendrars*, Alexandre Eulalio écrit : «Ce que Cendrars leur apprenait [aux poètes brésiliens] par son exemple et sa poésie, c'était le chemin de la libération et du dépouillement, et ils en étaient bien conscients.»

Pour Blaise, le Brésil est désormais une «deuxième patrie spirituelle», qu'on retrouvera en effet dans les nombreux livres qui mûrissent ou prennent naissance pendant ses séjours régénérateurs ; le

Lors d'un important voyage au cœur du Brésil avec les écrivains «modernistas», après avoir visité Ouro Preto et ses églises baroques, Blaise découvre à Congonhas do Campo le monumental chemin de croix (à gauche, Jésus au pilori), œuvre stupéfiante d'un sculpteur populaire du XVIIIe siècle, Aleijadinho. Ce petit estropié travaillait le bois et la pierre avec ses mains devenues des moignons de lépreux. Enthousiasmé, Cendrars décide d'écrire la vie de cet artiste extraordinaire. Le livre restera inachevé mais lui inspirera l'histoire fantastique de Manolo Secca, sculpteur et dernier pompiste à la lisière de la forêt vierge.

La presse de São Paulo salue en grands titres «l'arrivée au Brésil du grand poète français mutilé de la Grande Guerre» (ci-dessous), comme le fera la presse de Rio. Les faits et gestes de Cendrars au Brésil seront partout relatés.

CHEGA AO
POETA F
CENDRARS,
DO NA G

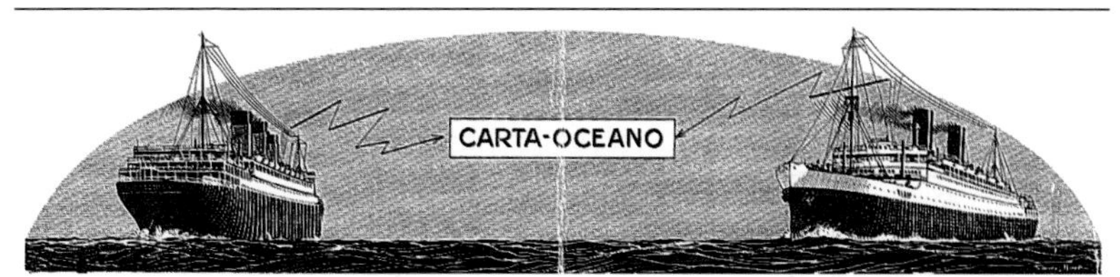

poète en est le *descobridor* sillonnant et survolant forêts et plantations, naviguant sur les fleuves, ou lézardant dans les *fazendas*.

Le 1er septembre 1924, Blaise fête son trente-septième anniversaire à bord du transatlantique *Gelria* qui le ramène en France.

De 1924 à 1929, il fera quatre ou cinq séjours au Brésil. D'autres voyages en Amérique du Sud le conduiront dans la forêt amazonienne, à Buenos Aires... On le verra en Espagne pour les corridas, au Portugal pour l'adaptation du livre *Forêt vierge* de Ferreira de Castro; en Allemagne, à Londres pour ses affaires car il tentera de monter, en collaboration avec Paulo Prado, une entreprise d'export-import, la «Cendraraym», espérant lui aussi faire fortune, mais on sait depuis longtemps que le commerce n'était pas son fort. Il échoue. Heureusement !

«Je ne trempe pas ma plume dans un encrier, mais dans la vie»

Avec l'énergie accumulée au Brésil, le poète se fait prosateur : il écrit le roman auquel il pense depuis l'enfance, *L'Or. La merveilleuse histoire de Johann August Suter*, l'aventurier suisse ruiné par la découverte de l'or sur ses terres californiennes. Cendrars innove dans l'écriture du roman par un style

RASIL O GRANDE
NCEZ BLAISE
RTISTA MUTILA-
NDE GUERRA

«La lettre-océan n'a pas été inventée pour faire de la poésie / Mais quand on voyage quand on commerce quand on est à bord quand on envoie des lettres-océan / On fait de la poésie.»

Feuilles de route

On trouve le Brésil principalement dans les œuvres suivantes de Cendrars : *Feuilles de route* et *Sud-Américaines* (1924), *La Métaphysique du café* (1927), *Une nuit dans la forêt* (1929), *Histoires vraies* (1937), *La Vie dangereuse* (1938), *D'Oultremer à Indigo* (1940); puis, après le long silence de la guerre, dans *L'Homme foudroyé* (1945), *Bourlinguer* (1948) et *Le Lotissement du ciel*, dont la troisième partie, «La Tour Eiffel sidérale», se déroule dans la solitude de la *fazenda* du Morro Azul; enfin, dans *Le Brésil, des hommes sont venus* (1952) et dans un de ses derniers titres, *Trop c'est trop* (1957).

incisif, rapide, au présent de l'indicatif, «celui des cinq modes du verbe qui exprime l'état, l'existence ou l'action d'une manière certaine, positive, absolue». «Une date dans la littérature française», dira Philippe Soupault. Dès sa parution, succès phénoménal, *L'Or* fait le tour du monde, traduit en quinze langues.

En 1926, Paris est en effervescence. Jazz et charleston au Bœuf sur le toit, la boîte à la mode. Jupes courtes, cheveux coupés à la garçonne, les femmes ont abandonné le corset. La négritude est en vogue, avec Joséphine Baker, «belle comme la nuit». La parution de *Moravagine* est une explosion. Entre deux voyages, Blaise est assailli par les journalistes, qui reçoivent le choc : «Le style de Cendrars atteint une puissance picturale étonnante, mélange de cruauté, de sensualité, de lyrisme. On est arraché, entraîné, noyé, une force d'hallucination...»

Quant à lui, il est déjà reparti. De la solitude du Tremblay à Biarritz, chez sa vieille amie, la grande mécène chilienne Eugénia Errazuris, par la Nationale 10, au volant de son Alfa Roméo, il fonce «dans l'inconnu, se dépouillant insensiblement de tout». Les deux livres qu'il écrit chez elle, *Vol à voile* et *Une nuit dans la forêt* marquent le début de sa recherche dans l'écriture des «mémoires» mythiques. C'est dans l'écriture, dit-il, qu'affleurent les seules traces de la réalité... «Un livre, un miroir déformant, une projection idéale. La seule réalité ou c'est tout comme.»

Paulo Prado (ci-dessus) encouragea Cendrars : «C'est au retour de São Paulo que j'ai publié *L'Or*, un livre auquel je pensais depuis dix ans.»

Blaise, Vera et Igor Stravinsky, Raymone, en route pour Biarritz, photographiés dans un «train» de foire, arrivent chez Eugénia Errazuris qui disait : «J'ai Pablo mon peintre (son portrait par Picasso derrière elle), Blaise mon poète, et Igor mon musicien.»

Ci-dessous, «Moravagine, idiot», signature et portrait par Conrad Moricand.

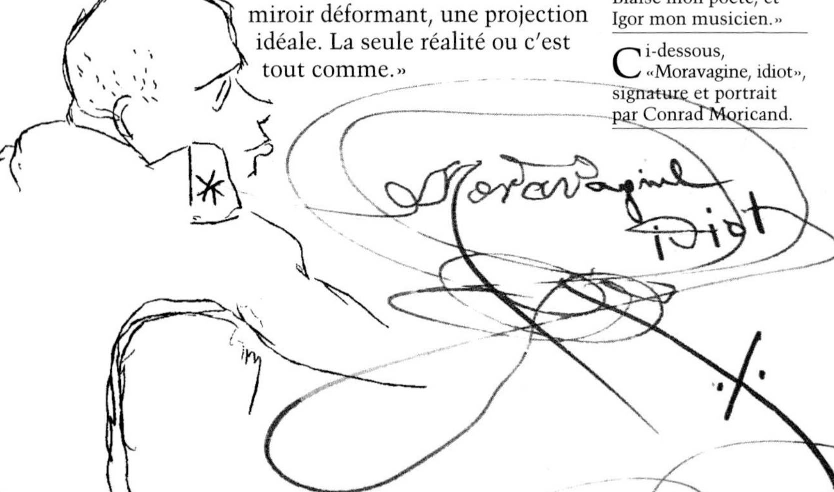

HAVRE

Avant d'embarquer à nouveau, en 1927, il s'isole à La Redonne, une calanque proche de Marseille, pour terminer *Le Plan de l'Aiguille* : «Personne ne pouvait me suivre là où j'allais.» Vivifié dans la contemplation, il affirme : «Le seul fait d'exister est un véritable bonheur.» *Le Plan de l'Aiguille,* suivi des *Confessions de Dan Yack,* paraîtra en 1929, salué comme le roman le plus important de l'année : «En poussant jusqu'à son paroxysme l'inquiétude contemporaine, le lyrisme de Cendrars atteint aux sources de ce durable désespoir attaché à la condition d'homme.»

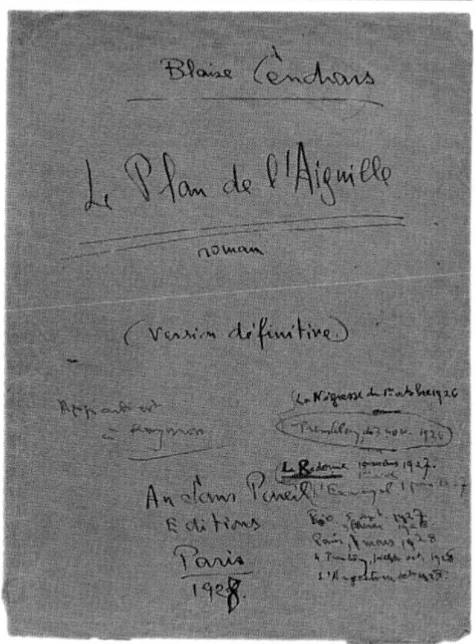
Blaise Cendrars

Le Plan de l'Aiguille

roman

(Version définitive)

Au Sans Pareil
Editions
Paris
1928

A son habitude, Blaise dessinait les pages de titres de ses livres «en chantier» avant même de les terminer; ci-dessus, celle du *Plan de l'Aiguille.*

«Un reporter n'est pas un simple chasseur d'images, il doit savoir capter les vues de l'esprit»

En 1930, Cendrars expérimente le grand reportage. Il commence par *Rhum, l'aventure de Jean Galmot,* député de Guyane, homme au destin multiple dont l'autopsie révèle,

A bord du *Normandie,* Blaise ne dîne pas dans les somptueux salons avec Colette (ci-contre, de face) et d'autres célébrités. Pendant les quatre jours de traversée du Havre à New York, dans les soutes, il écrit un reportage sur l'équipage, les machinistes et le personnel auxquels le navire devra le «ruban bleu», record de vitesse de la traversée de l'Atlantique. Ce reportage fera date dans l'histoire du journalisme.

U AIMES IL FA

RHUM

RHUM RHUM RHUM RHUM RHUM

SERMENT

Je jure de rendre la Liberté à la Guyane.

Je jure de rendre aux citoyens de la Guyane les droits civils et politiques dont ils sont privés depuis deux ans.

Je jure de lutter, jusqu'à mon dernier souffle, jusqu'à la dernière goutte de mon sang, pour affranchir mes frères noirs de l'esclavage politique.

Je jure d'abolir la toute puissance d'une Administration qui met la force armée au service de l'illégalité, qui organise les fraudes électorales, qui, les jours d'élection, terrorise par l'assassinat et l'incendie, qui oblige les fonctionnaires à la besogne d'agents électoraux, qui prend des otages et emprisonne les meilleurs, parmi les enfants du peuple, et qui enfin, gouverne par des décrets et des arrêtés supprimant les droits sociaux de l'ouvrier.

Je jure de mettre fin au régime économique qui transforme la Guyane, pays des mines d'or, pays aux richesses fabuleuses, en une terre de désolation, de souffrances et de misère.

Je demande à Dieu de mourir en combattant pour le salut de ma patrie, la Guyane immortelle.

J'ai signé ce serment avec mon sang.

15 mai 1924

Jean GALMOT,
Député de la Guyane.

Imp. — Frères et Sœurs

par

BLAISE CENDRARS

GRASSET **1 vol. 15 fr.**

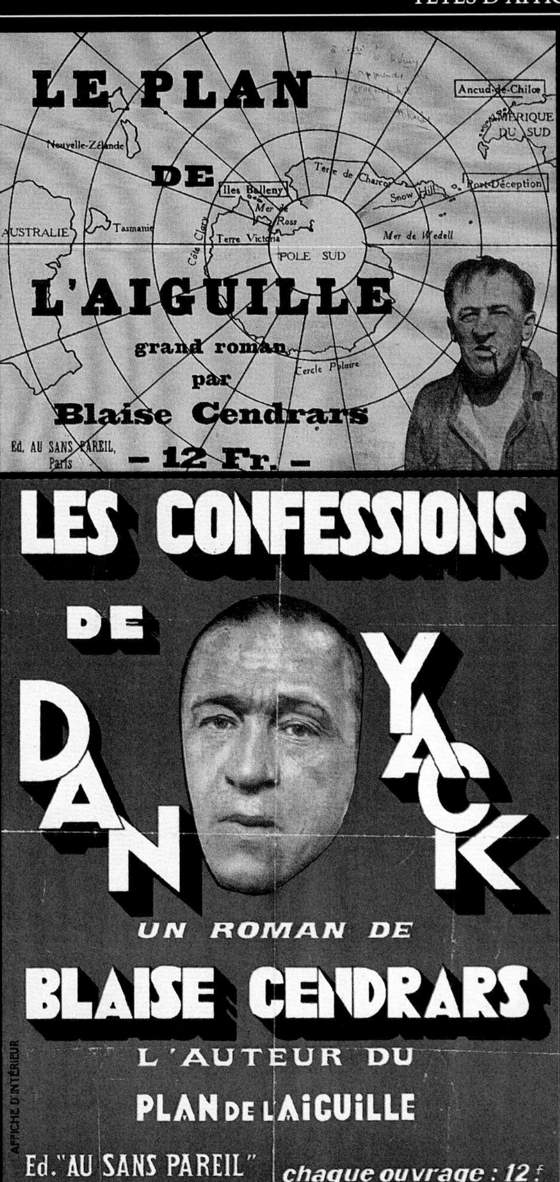

Rhum, l'aventure de Jean Galmot (affiche, page de gauche) a d'abord paru en feuilleton dans l'hebdo *Vu*. Pour mieux comprendre la troublante vie de son héros, Blaise partit l'écrire à Monpazier, en Dordogne, pays natal de Galmot. C'est là que son ami John Dos Passos et sa femme Katy vinrent le rejoindre pour une semaine mémorable : «On faisait cuire des oies sauvages dans une immense cheminée et on avait tous les jours des omelettes aux truffes... Après on partait dans sa voiture par les petites routes de montagne. C'était une expérience effarante. Il conduisait d'une main, passant les vitesses je ne sais trop comment. Il prenait tous les virages à sa vitesse habituelle sur le chapeau des roues. Dieu seul sait comment nous nous en sommes sortis.» A Henry Miller qui demandait le sens du titre *Le Plan de l'Aiguille*, Blaise répondit : «C'est le plan aimanté de la boussole – Louis Parrot dixit. C'est un lieu-dit dans les Alpes – le Plan de l'Aiguille du Midi. Dans mon esprit, c'est la surface d'un disque de phonographe. Votre curiosité est-elle satisfaite ?» Blaise rêvait d'un «livre aux pages sonores». Suite du *Plan*, *Les Confessions* a été «dicté au Dictaphone».

L'*Or* a tenté de grands réalisateurs : Gance, Eisenstein, William Wyler, Howard Hawks. Finalement, la Universal Pictures acquiert les droits et James Cruze tourne *Sutter's Gold*, avec Edward Arnold et Bonnie Barnes (en haut de l'affiche), un film médiocre réalisé avec des moyens énormes. Dans le même temps, Luis Trenker, réalisateur allemand, tourne un film qui remporte la «Coupe Mussolini» à Venise, *L'Empereur de Californie*, plagié de *L'Or*. Il s'ensuit un long procès, interrompu en 1939 par la guerre. *Hollywood*, le reportage que Cendrars écrit de retour d'Amérique, est illustré par Jean Guérin, un ami français établi en Californie (ci-contre, en haut, vue de Main Street, L.A.). Cendrars le journaliste écrit : «Je ne prends jamais de notes en voyage. Je ne veux rapporter que l'essentiel des choses vues... Il ne s'agit pas d'être objectif. Il faut prendre parti. En n'y mettant pas du sien, un journaliste n'arrivera jamais à rendre cette vie actuelle, qui elle aussi est une vue de l'esprit... Et c'est pourquoi l'écriture n'est ni un mensonge, ni un songe, mais de la réalité, et peut-être tout ce que nous pourrons jamais connaître de réel.»

après sa mort, que son cœur a disparu ! Aux éditions «Au Sans Pareil», il crée la collection «Les Têtes brûlées», avec *Feu le lieutenant Bringolf* et *Al Capone le balafré*. Chez Grasset, il publie *Hors la loi!* sa traduction des mémoires d'Al Jennings, le *desperado* ami de l'écrivain O'Henry. *Le Panorama de la pègre* rassemble les reportages publiés dans *Excelsior*, puis le jeune journaliste Pierre Lazareff envoie ce diable de Cendrars «couvrir» pour *Paris-Soir* le voyage inaugural du transatlantique *Normandie*, à bord duquel il inaugure une technique de communication sensationnelle : tous les soirs, on peut l'entendre en direct à la T.S.F., encore une merveille ! En 1936, il part pour la Californie, pour la sortie du film *Sutter's Gold*, adapté de *L'Or*, et il ramène les reportages réunis dans *Hollywood, La Mecque du cinéma*.

Des récits dont Blaise régale ses amis réunis autour de sa table, au petit restaurant de l'Hôtel de l'Alma, avenue Montaigne, où il a sa mansarde assurée, ou bien le dimanche au Tremblay-sur-Mauldre, naissent trois volumes de nouvelles, encore une autre forme : *Histoires vraies*, en 1937 ; *La Vie dangereuse*, en 1938 ; *D'Oultremer à Indigo*, en 1940.

«J'aime Cendrars, son visage rasé de pierrot cramoisi cuit aux fumées, aux feux de bivouac, j'aime ses yeux bleus d'enfant, sa façon de gratter une allumette sur la boîte que maintient son moignon droit et de dire aux gens ce qu'il pense et de se refuser à tout ce qui déshonore un poète. Il envoie faire fiche les gens qui veulent réciter ses vers dans des lieux qu'il n'estime pas ou les imprimer dans des revues qu'il dédaigne. Cendrars a toujours de l'allure. Cendrars aime son chien. Cendrars est un chic type. Brutal, primesautier, nostalgique, moderne, Cendrars a du génie.» C'est à ce Cendrars-là, décrit par Fernand Divoire, qu'on présente en 1937 une jeune chasseresse de retour d'un safari en Afrique. Elle l'invite à visiter son élevage de chevaux dans les Ardennes. «Blaise est venu déjeuner, il est resté huit jours», se souvient-elle. Entre 1937 et 1939, Blaise séjourne souvent chez cette «copine épatante», où il travaille à *Forêt Vierge* et à *Histoires vraies*. En 1943, dans *L'Homme foudroyé*, Blaise la nomme Diane de La Panne et ajoute : «Ce nom n'était pas le sien.» En effet, c'était Elisabeth Prévost (ci-contre).

«Moi, l'homme le plus libre du monde, je reconnais que l'on est toujours lié par quelque chose et que la liberté, l'indépendance, n'existent pas»

En 1939, alors que Blaise Cendrars s'apprête à partir faire le tour du monde à bord d'un des grands voiliers quatre-mâts finlandais qui vont charger les blés d'Australie destinés à l'Europe, éclate la guerre.

Il ne restera pas en dehors du conflit : à cinquante-deux ans, en uniforme d'officier anglais, Blaise Cendrars est correspondant, au Q.G. d'Arras, auprès de la British Expeditionary Force. De ses missions dans les Ardennes, en Normandie, en Angleterre, il envoie ses «papiers» aux nombreux journaux français auxquels il est attaché. Le 7 mai 1940, les premières bombes allemandes tombent sur Arras. Le Q.G. se

«Ce n'est pas possible, tant de choses, tant d'événements, tant de malheurs, tant de lâchetés, – panique, batailles perdues, morts, malades abandonnés dans un hôpital qui brûlait, orphelins divagants, fous lâchés en liberté... Non, le 10 mai l'homme n'était pas à la hauteur de l'événement... Je croyais encore à un redressement possible» (*Le Lotissement du Ciel*). Soudain la radio annonce que Pétain a demandé l'armistice. C'est le 17 juin.

replie précipitamment pour réembarquer vers l'Angleterre. Au volant de l'Alfa Roméo, Blaise roule à tombeau ouvert à travers la France en déroute.

«Feu, flammes, fumées. Bombes qui attisaient les incendies. Ponts, chemins de fer, écluses sautaient et sur les routes les grandes armées alliées qui s'avançaient dans le chant des moteurs et le casque fleuri et qui devaient le soir même être couchées parmi les morts. Les populations fuyaient terrorisées, une féerie de fin du monde, sous un soleil implacable et par beau temps fixe. *Yo lo vi*, "je l'ai vu, de mes yeux vu"», écrira Cendrars dans *Le Lotissement du ciel*. «J'ai vu», disait le poète du Transsibérien, témoin des désastres de la guerre...

Le 16 juin, Cendrars voit décoller les escadrilles anglaises qui regagnent l'Angleterre. Le lendemain, la radio annonce que Pétain a demandé l'armistice. «Les conditions de l'armistice, dans ce grand malheur général qui s'abattait sur les Français, eurent une action immédiate sur mon sort particulier et, comme pour beaucoup d'autres, bouleversèrent ma vie et fixèrent ma ligne de conduite dans les années qui allaient suivre.»

« On naît au hasard. On est tout à coup dans un berceau, on ne sait pas où l'on est... Moi, j'ai toujours vécu comme ça. Chaque fois que je me suis trouvé quelque part à l'étranger, aux antipodes, n'importe où, en train de bourlinguer, je me demandais : mon pauvre petit, qu'est-ce que tu fous là, d'où viens-tu, pourquoi es-tu dans ce pays et non pas dans l'autre, exactement comme si je venais de naître. »

CHAPITRE IV
LA VIE CONTEMPLATIVE

« Mon blason ? Il existe, il date du XIVe, c'est celui de ma famille. C'est tout simplement dans un écusson, une croix au pied fourchu. » Blaise a découvert ce blason (ci-contre) parmi ceux des notables de Sigriswil, bourg d'origine des Sauser, lors de son mariage le 29 octobre 1949 avec Raymone, qui souhaitait épouser un Oberlandais !

«L'isolement d'un homme est un monde infini»

L'inacceptable est arrivé : la France occupée par l'ennemi allemand. Blaise Cendrars s'est exilé à Aix-en-Provence. La propriétaire de l'Hôtel de l'Alma à Paris où, absent ou présent, elle lui a toujours réservé sa chambre, domicile plus ou moins fixe, le prévient par des cartes interzone : «Tante Amélie est encore venue vous inviter à déjeuner.» Le code est transparent ! La Gestapo le cherche, perquisitionne et met à sac sa maison du Tremblay-sur-Mauldre, saisit et pilonne le stock de son dernier livre à peine sorti des presses, *Chez l'Armée anglaise,* à la couverture bleu-blanc-rouge : un ouvrage subversif ! Il donnerait trop d'espoir aux Français. «La grande force de l'Angleterre, écrit Cendrars, subconsciemment prophétique, c'est de persévérer dans ses entreprises et d'y apporter un esprit de continuité qui ne laisse rien au hasard et s'exprime jusque dans les moindres détails de la vie courante.»

Lorsque, en 1947, Henry Miller, qui vit à Big Sur en Californie, verra dans un journal la photo de sa «bonne tronche», il écrira à Cendrars, pour renouer leur vieille amitié. Blaise répond : «Comme vous le voyez, les Boches n'ont pas eu ma peau !»

De 1940 à 1943, Cendrars n'écrit pas. Il est en deuil pour la France. Sa vie, c'est le silence. La méditation, les longues séances de lecture et de

BLAISE CENDRARS

CHEZ L'ARMÉE ANGLAISE

ÉDITIONS CORRÊA

Sur la table de Miller (ci-dessous), *Dan Yack,* de l'auteur admiré qui, le premier, a salué en 1934 la parution de *Tropique du Cancer* en ces termes : «Un écrivain américain nous est né, un des nôtres d'esprit, d'écriture, de puissance et de don.»

recherche à la bibliothèque Méjanes. Incroyablement pauvre, solitaire, on voit Cendrars dans son vieux costume élimé, coiffé d'un béret, faire la queue pour sa ration de pommes de terre et de poireaux dont il fera sa soupe. Il a peu d'amis. Edouard Peisson, l'écrivain, qui l'invite à partager un déjeuner frugal le dimanche dans sa maison de campagne. Un franc-tireur, le peintre manchot Laurin qui lui raconte la vie clandestine. Un dominicain résistant, le père Brückberger, rencontré

« Pourquoi ne suis-je pas mort de colère et de honte le jour où j'ai vu rire deux motocyclistes allemands qui regardaient fuir en débandade une troupe de soldats français ? » demande à Peisson le reclus d'Aix (ci-dessous) en 1940.

C'est demain matin à 7h que je com

LA CARISSIMA.

Je t'em

par hasard à la terrasse des Deux Garçons, le célèbre café du Cours Mirabeau, qui l'introduit au couvent de Saint-Maximin. Ses fils sont prisonniers. Sa fille est à Londres. Il apprend que Féla, dont il est divorcé, est morte. Raymone, partie en Amérique du Sud avec la troupe de Louis Jouvet, rentrera bientôt pour remonter sur les planches parisiennes.

«Je suis mûr pour La Trappe», dit sérieusement Blaise. Il lit les textes sacrés, la Bible. Il s'éprend de Marie-Madeleine la pécheresse, sauvée par l'Amour du Christ. Si un jour il pouvait écrire sa vie, ce serait le plus beau livre du monde. Son titre serait : *La Carissima,* la Très Chère, présente depuis longtemps dans ses pensées. Puis il retrouve dans les *Acta Sanctorum* des bollandistes l'histoire du petit moine italien qui lévitait en extase : «La présence immatérielle de saint Joseph de Cupertino matelassait en quelque sorte ma porte et mes fenêtres comme s'il y eût appliqué sa robe de bure et empêchait les infiltrations de stupre qui me venaient de mon immonde voisin» : un officier allemand, S.S.

Dans la bibliothèque du couvent de Saint-Maximin (ci-dessous), Blaise peut retrouver la sérénité. Il s'écriera dans *Le Lotissement du ciel* : «Ah ! les saints, ces enfants terribles de l'Eglise ! Il n'y a que ça de vrai pour ne pas condamner la vie et la maudire, les Saints, les Enfants, les Fleurs et les Oiseaux, des fous, des dons gratuits.» Blaise écrit une ou deux fois par jour à Raymone. Il la tient au courant de sa vie matérielle difficile et aussi de ses projets d'écriture, comme celui de sa Marie-Madeleine, la Carissima (extrait d'une lettre ci-dessus).

«Ecrire n'est pas mon ambition, mais vivre. J'ai vécu. Maintenant j'écris»

En janvier 1943, les Allemands ont capitulé devant Stalingrad. Au mois de mai, l'axe germano-italien est démantelé en Afrique. Les Alliés ont débarqué en Sicile. L'espoir renaît. L'écrivain aussi.

Recommencer à zéro. Comme s'il n'avait jamais écrit ! Août 1943, il sort sa machine à écrire, s'installe sur la table de la cuisine, face au mur. Ne rien voir que son monde intérieur. «Dans le silence de la nuit» sera le titre du premier chapitre du premier livre de sa nouvelle naissance. Laisser la lumière remonter des profondeurs. «L'écriture est un incendie qui embrase un grand remue-ménage d'idées et qui fait flamboyer

des associations d'images avant de les réduire en braises crépitantes et en cendres retombantes. Mais si la flamme déclenche l'alerte, la spontanéité du feu reste mystérieuse. Car écrire, c'est brûler vif, mais c'est aussi renaître de ses cendres.» C'est ainsi que commence *L'Homme foudroyé*.

Contre le froid, une doublure d'imper, un béret. Boîte à rouler sa cigarette, papiers… écrire, jour et nuit : Doisneau a photographié la vie de Blaise à Aix.

Ici et maintenant : maître du temps

Le temps presse. Tandis qu'il souffre de la mauvaise et insuffisante nourriture, du froid qui engourdit les doigts de sa main unique que seule sa machine à écrire réchauffe, et toujours de la douleur lancinante de son bras droit fantôme, tandis qu'il s'inquiète pour Raymone et sa mère – Mamanternelle, comme il la surnomme –, restées dans Paris bombardé, alors qu'il suit par la radio la progression du conflit, du débarquement des Alliés... il s'attelle au travail avec une concentration inouïe. Deux personnes en sont les témoins par correspondance : Jacques-Henry Lévesque, auquel il révèle le sens de sa nouvelle écriture par laquelle il «supprime le temps» pour «descendre à pic en profondeur», et Raymone à qui il confie ses difficultés quotidiennes, et l'«âme» de l'œuvre qu'impérativement il doit poursuivre et achever. La forme et le fond : les secrets sous-jacents de sa «tétralogie».

En juin 1944 paraît le volume de ses *Poésies complètes*, comme un rappel de Cendrars dans les librairies d'une France qui se libère. «Cendrars, Cendrars, quelle magie est donc la vôtre ?» commente un critique enthousiasmé. Dans la préface, l'ami Jacques-Henry Lévesque situe à sa place unique celui qui «fait fondre tous les faux prestiges de la littérature et impose la force de la vie».

C'est prédire ce que seront les œuvres à venir.

En 1945, *L'Homme foudroyé* est d'abord reçu par une critique qui, encore imprégnée de la réputation du Cendrars chantre du monde moderne, aventurier audacieux, le perçoit comme des mémoires. Mais Cendrars rectifiera : «Des mémoires sans être des mémoires.» Bientôt cependant le livre s'impose pour ce qu'il est : l'œuvre d'un écrivain métamorphosé, un alchimiste du Verbe.

Désormais il ne peut plus y avoir de malentendu : si son matériau c'est la vie, la vie de l'homme Cendrars c'est l'écriture.

La Main coupée que Cendrars, sans dételer, écrit du 17 décembre 1944 au dimanche de Quasimodo 1946, est dédiée à ses fils «Odilon et Rémy quand ils

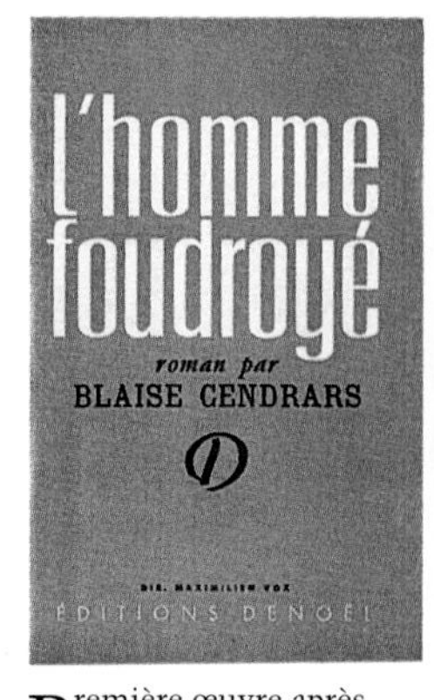

Première œuvre après le long silence de l'exil à Aix : *L'Homme foudroyé*, publié en 1945. Robert Denoël, l'éditeur enthousiaste et prophétique, écrit : «Voilà un livre enfin avec de la force, du souffle, du foisonnement, des grandes images, des idées, du frisson, de la grandeur. Je respire à pleins poumons... Je suis pris par ton chant, par ton incantation, par les splendeurs que tu suscites. Il me semble que tu as écrit le premier livre d'une série qui sera le sommet de ton œuvre. Jamais tu n'as été aussi libre, aussi abondant et aussi heureux. Mon vieux Blaise, on t'entendra longtemps.» Le sous-titre «roman» de la première édition ne convient pas à cette «gigantesque construction romanesque» : il sera supprimé dès la deuxième édition.

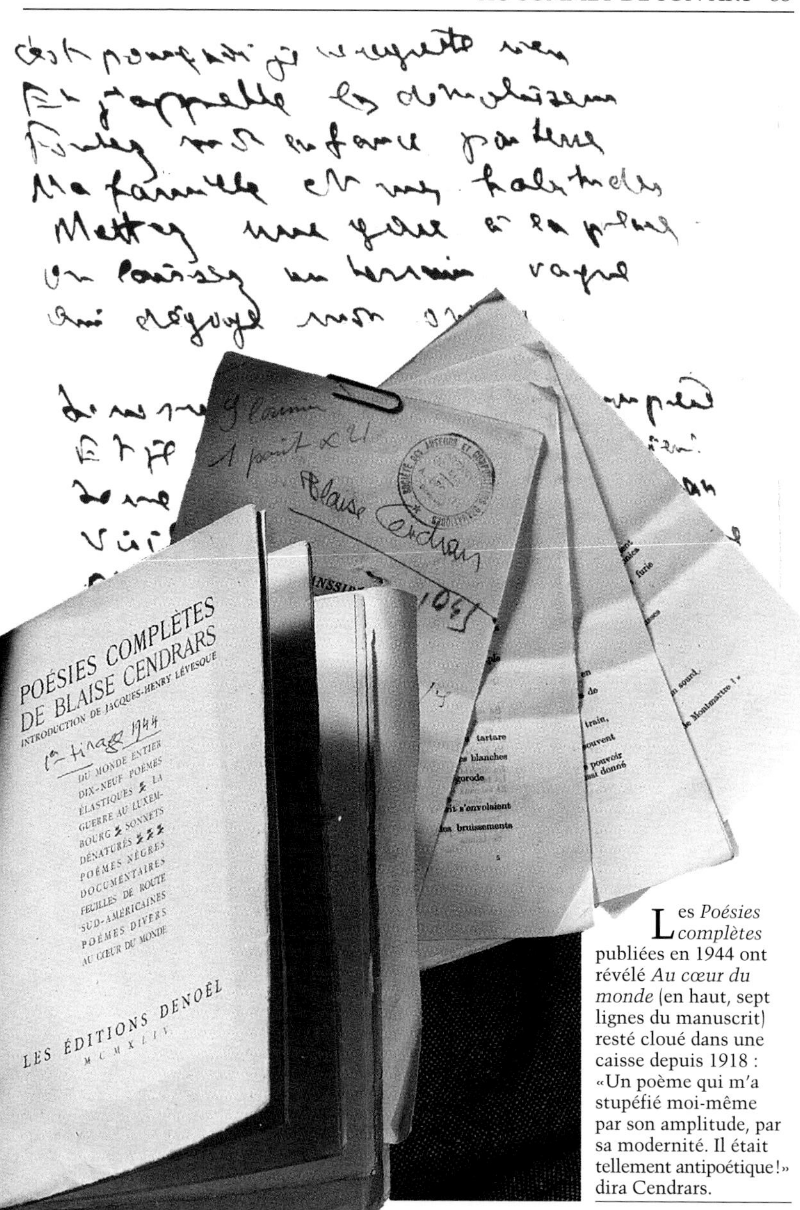

Les *Poésies complètes* publiées en 1944 ont révélé *Au cœur du monde* (en haut, sept lignes du manuscrit) resté cloué dans une caisse depuis 1918 : «Un poème qui m'a stupéfié moi-même par son amplitude, par sa modernité. Il était tellement antipoétique!» dira Cendrars.

rentreront de captivité et de guerre»... hélas ! Rémy, de retour de «Bochie», ayant repris du service dans l'aviation de la France libre au Maroc, tombe, avec son avion, le 26 novembre 1945.

Dans ce nouveau livre, Cendrars apparaît en personnage principal du récit. Il a fallu trente ans de recul pour extraire de son expérience de 1914 le moyen de dénoncer l'ignominie de la guerre, pour raconter l'«impitoyable et anonyme machinerie» d'un conflit mondial, l'imbécillité du commandement, la déshumanisation de l'humanité. Ce moyen, ce sera l'histoire de chacun des soldats de son escouade, «tués, crevés, anéantis, disloqués, oubliés, pulvérisés, réduits à zéro, et pour rien», et la vision de l'enfer vécu avec ses camarades, jusqu'au dernier cri de l'homme face à la mort : «Maman ! Maman !»

A la parution de *La Main coupée* (1946), une lettre arrive : «Cher Cendrars ex-caporal... Je suis le poilu de votre escouade qui vous avait envoyé voir ma tante alors que vous partiez en permission. Elle vous avait remis pour moi un saucisson dont vous m'avez consciencieusement rapporté la peau, avant la bataille de Champagne, en 1915. Nous nous sommes vus la dernière fois alors que, blessés tous deux, nous cherchions le poste de secours. Vous avec votre bras pendant, que vous vouliez que j'achève de couper. Robert Delors.» Ci-dessous, un tableau du peintre A. Zinoviev, brancardier, daté du 28 septembre 1915, témoigne de cet épisode.

«La sérénité ne peut être atteinte que par un esprit désespéré et pour être désespéré, il faut avoir beaucoup vécu et aimer encore le monde»

1er septembre 1947 : Blaise a soixante ans. Il dit : «Je commence à croire à ma vocation d'écrivain» ! Il a mis en route *Bourlinguer*, le livre du voyage dans un infini qui ne commence ni ne s'achève nulle part, qui nous transporte de port en port, Venise, Naples, La Corogne, Bordeaux, Brest, Toulon, Anvers, Gênes, Rotterdam, Hambourg, Paris port-de-mer. Le chapitre «Gênes» est son noyau génétique – exploration des gènes composants de sa personnalité. «Gênes», centre et pivot du livre, se déroule à Naples, paradis de l'enfance, et dévoile l'origine des

secrets inscrits dans le subconscient : l'amour innocent, la révélation de la sexualité, la peur, le fantastique, l'horrifique, la violence, la mort. «Gênes» est un des textes les plus intenses de Cendrars : «Un livre aussi c'est la vie. L'esprit allègre, depuis des années que je ne sors plus, que je ne bouge plus, que je ne vois plus personne, glissant ma vie comme une feuille de papier carbone entre deux feuilles de papier blanc sous le chariot de ma machine à écrire et que je tape, je tape, au recto et au verso.»

«Vertige! L'éternité n'est qu'un instant bref dans l'espace et l'infini vous saisit par les cheveux et vous foudroie instantanément. Le temps ne compte pas...»

Depuis janvier 1948, Raymone a quitté Paris et le théâtre pour rejoindre Blaise. Ensemble, ils vont habiter au-dessus de Villefranche-sur-Mer, à Saint-Segond, une jungle édénique.

Pour la première fois depuis huit ans, Blaise «monte» à Paris pour le lancement de *Bourlinguer*, auquel «se presse toute la jeunesse littéraire de la capitale» lit-on dans la presse. Mais vite il retourne à Saint-Segond, où l'attendent le parc exotique,

Signatures (ci-dessus, celle de *Bourlinguer*, avec Raymone), radios, interviews, cocktails... le séjour de Blaise à Paris est un tourbillon. Au retour à Saint-Segond, il écrit un de ses «Poèmes pour Bibi», «L'Entrée et la Sortie du métro» : « Je ne puis entrer ou sortir de chez moi sans penser aux gens entrant ou sortant du métro, c'est pourquoi j'ai baptisé le petit auvent en forme de voûte qui précède ma porte l'Entrée du Métro ou la Sortie du Métro. L'entrée mène à ma machine à écrire, la sortie donne dans l'allée aux cyprès, où la machine à penser se met en branle ou se fixe dans la contemplation.»

sa machine à écrire, son travail, son chien, Raymone, «hors du cercle desquels je ne saurais dorénavant vivre». Là, le 1er mai 1949, il terminera *Le Lotissement du ciel*, au prix d'un travail surhumain : «Dix-huit heures de machine à écrire par jour. Saint-Joseph de Cupertino m'aura crevé.» Quatrième de ce qu'on peut considérer comme son «grand'œuvre», cet ouvrage se compose de trois parties. Dans «Le Jugement dernier», courte introduction, Cendrars décrit une bête extravagante, le tamanoir, qui, comparable à Dieu dans son informulable et incompréhensible étrangeté, «vous ouvre les yeux sur le mystère de la Création». Quant au regard de l'oiseau «sept-couleurs» que Blaise ramène du Brésil, il vous transpercera l'âme jusqu'à l'os.

La partie centrale, «Le Nouveau Patron de l'aviation», raconte la vie simple d'un petit paysan ignorant, Joseph de Cupertino, étonné de se voir, dans ses extases spontanées, ravi dans les airs. Page après page, le lecteur patient est conduit jusqu'à la jubilation extrême du cœur, jusqu'au chapitre qui clot ce deuxième volet, «Le Ravissement d'amour».

Blaise Cendrars a souvent affirmé ne pas avoir la foi. Dans ce chapitre clé, il livre l'aveu le plus intime d'un homme qui n'a même plus de nom, d'un homme élevé au plus profond de lui-même. Il n'a pas «la foi» dans l'acception courante ou religieuse d'un mot qui peut prêter à confusion, mais il s'ouvre à une pure expérience spirituelle, au-delà des dogmes, des formes, de tous les mots. Et comment y atteindre,

LE
LOTISSEMENT
DU CIEL

par

Blaise Cendrars

si ce n'est par le chemin de la vie, vécue dans toute sa diversité bouffonne, absurde, émouvante, mais transcendée pour en découvrir le sens réel. «La vertu de la prière c'est d'énumérer les choses de la création et de les appeler par leur nom dans une effusion. C'est une action de grâce.» Ecrire, pour Blaise Cendrars, est-ce donc prier?

Blaise retrouve son ami le peintre Georges Braque, voisin proche de Saint-Segond (ci-dessus).

«Qui suis-je? Je ne puis me définir que par rapport aux péchés que j'ai tous pratiqués. Et Dieu jaugera et Dieu jugera»

La troisième partie du livre, «La Tour Eiffel sidérale», est située au Brésil, où Blaise, dans son Alfa Roméo, accomplit sa «montée au Morro Azul» – la montagne Bleue –, ascension «en spirale» qui le soulève du sol, l'aspire vers le haut – sa lévitation. Le Morro Azul, c'est aussi une *fazenda*, bien concrète, où vit un étrange personnage à la fois physiquement présent et pourtant mythique, dans lequel l'auteur trouve un frère – *alter ego*? – le Dr Oswaldo Padroso, inventeur d'une nouvelle constellation qu'il nomme la «tour Eiffel sidérale», et malade de passion pour une comédienne lointaine idéalisée, Sarah Bernhardt.

Luiz Bueno de Miranda alias Oswaldo Padroso, le planteur-poète, hôte de Blaise au Morro Azul (Brésil).

En conclusion, Cendrars raconte comment, le 21 août 1944, il apprend par l'un des Américains débarqués qui libèrent Aix-en-Provence, que son ami d'autrefois, le fantasque Oswaldo Padroso, a fini par rendre son idole au rêve et se marier bourgeoisement. «Je me félicitai de cette fin prosaïque marquant pour mon ami la fin d'une longue hypnose, d'un envoûtement, sa libération, mais je ne pouvais m'empêcher de la considérer et de la ressentir comme une abdication humiliante pour la Poésie. C'est la vie.»

«Alléluia!» écrit Henry Miller aux jeunes mariés (ci-dessus). «Encore une preuve de votre vitalité, optimisme, foi – et Dieu sait quoi...»

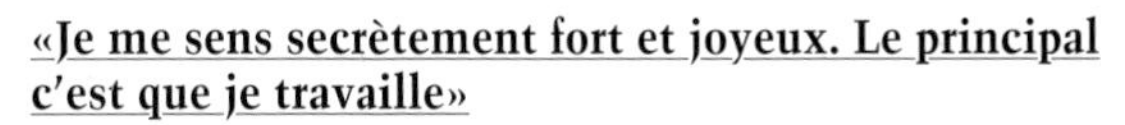

«Je me sens secrètement fort et joyeux. Le principal c'est que je travaille»

Le 29 octobre 1949, Blaise Cendrars et Raymone Duchâteau se marient à Sigriswil, le village des ancêtres de Frédéric-Louis Sauser. Au retour de leur «voyage de noces», balade de près d'un an, ils s'installent à Paris, 23, rue Jean-Dolent, près de la rue Saint-Jacques et de la maison où fut écrit le *Roman de la Rose*, où Blaise-le-poète naquit.

1er septembre 1950. A soixante-trois ans est-il temps de poser la plume? «Fais-toi règle d'écrire journellement... et tu seras écrivain», notait Freddy en 1910. Quarante ans de fidélité au précepte qu'il s'était imposé.

«Petit à petit je vais m'enfoncer dans cet univers qui contient tous les autres comme une goutte d'eau des myriades de microbes, la goutte d'encre qui coule de la plume. C'est extraordinaire... je n'arrive pas à m'y habituer, ni... à y croire!» écrit-il.

Blaise raconte : «Le Morro Azul [à gauche, au Brésil] était paradisiaque avec les bouquets en étoile des palmiers impériaux qui se balançaient en planant dans la nuit du tropique, à plus de 30 mètres de hauteur.» Luiz Bueno lui montre la constellation qu'il a effectivement réussi à photographier : «Là, entre les palmes du quatrième et du cinquième palmier, j'ai découvert la tour Eiffel céleste que vous voyez là, la grande étoile qui brille comme un phare au sommet de la Tour puis un peu plus bas, ces deux autres étoiles éclatantes marquant la plate-forme du premier étage, et plus bas, ces deux grosses étoiles écartées pour compléter la silhouette de la Tour du sommet jusqu'à la base.»

Après avoir fait un reportage sur Blaise Cendrars en 1945 à Aix, à l'occasion de la parution de *L'Homme foudroyé*, le jeune photographe Robert Doisneau va le revoir à Saint-Segond en 1948. Enthousiasmé par son travail, Blaise propose de faire un livre avec lui : *La Banlieue de Paris* (ci-contre). «Nous avons trop de points communs, écrit-il, pour ne pas nous rencontrer plus d'une fois dans ce dédale de la banlieue, climat optima du romancier et ambiance idéale du photographe, l'un à la recherche de caractères permanents de corruption et l'autre du pittoresque fugitif et de reconstruction, l'un et l'autre communiant dans le RÉEL...» Le livre paraît dans une édition «pré-originale» à la Guilde du Livre de Lausanne, puis en édition originale chez Seghers, avec 130 photos, toutes deux en 1949, «ce qui fera la joie des bibliophiles qui aiment couper les poils du cul en quatre!» écrit Cendrars à Miller en 1951. Denoël publiera en 1983 une nouvelle édition avec 107 photos. «Le texte est fort bref, écrit Miller, mais 50 pages hallucinantes, prises sur le vif, [...] merveilleux exemple de sa virtuosité.»

Dès son retour à Paris, Cendrars, interrogé par Michel Manoll, enregistre une série de treize entretiens, *Bourlinguer avec Blaise Cendrars*, diffusés sur la chaîne de la radio nationale d'octobre à décembre 1950.

Pris d'un grand intérêt pour le travail en studio et les progrès du langage de la radio, il écrit trois dramatiques, *Serajevo*, *Gilles de Rais*, *Le Divin Arétin*. Réunies ensuite en volume, ce seront les *Films sans images*, «faits pour parler à l'oreille, aux millions d'oreilles qui se trouvent à l'autre bout d'un micro».

Blaise Cendrars est célèbre. «Comme les cocus, je suis le dernier à y croire»

Paris est très exigeant. Radio, articles, préfaces, les demandes affluent. Il en refuse, il en accepte. A la maison, tous les jours, table ouverte et c'est Raymone qui fait la ratatouille. Le soir, elle retourne au théâtre jouer dans la troupe de Louis Jouvet. Malgré tout cela, Blaise ne pense qu'à se renouveler. «Quand l'écriture devient un procédé, la chose ne m'amuse plus» : c'est pourquoi il aborde «un vrai roman... un roman où je ne paraîtrai pas, un roman-roman». Le titre ? *Emmène-moi au bout du monde*. Un «policier» à clé qui se déroule dans le monde de la scène et des coulisses, hors de toutes les règles, autour d'une vieille comédienne brutale de vérité, de géniale vulgarité et d'érotisme théâtral.

Blaise à cette époque tient dans un cahier – encore un cahier ! – un «Mémento», révélateur de ces années

«Jean Giraudoux a écrit *La Folle de Chaillot* pour [l'actrice] Marguerite Moreno. On dit qu'elle a été le modèle pour la Thérèse d'*Emmène-moi au bout du monde*, racontait Raymone. Et moi j'étais la Folle de Saint Sulpice et je crois bien que nous avons joué ensemble les rôles les plus importants de nos carrières !» Ci-dessous, de gauche à droite, les Folles de la pièce de Giraudoux, montée au théâtre de l'Athénée à Paris, en 1946 : Marguerite Mayanne, Marguerite Moreno, Raymone Duchâteau, Lucienne Bogaert.

de vie parisienne. Parfois – et il se le reproche – il cède trop aux sollicitations et aux mondanités. Trop souvent aussi il est malade et souffre atrocement de son bras amputé. Cependant, jour après jour, le «roman» tient une place prioritaire et lorsqu'il inscrit sur la page «temps perdu», c'est qu'il n'a pas pu travailler.

Certaines lignes du «Mémento» sont d'une intimité émouvante : «Vivre comme un enfant joueur, en dehors de la raison de l'homme. Ecrire de même.» Son seul désir, c'est de vieillir avec joie, car c'est se dépouiller de tout. Il note son allégresse, le bonheur d'atteindre l'«extrême frontière de la vie consciente.»

Le 6 février 1956 paraît *Emmène-moi au bout du monde*. Bien que la vente soit bonne – 20 000 exemplaires en moins d'un mois –, la critique est désarçonnée par une écriture si différente de celle des œuvres du passé et reconnaît mal un livre sans tabous, où tous les opposés se mêlent, car l'unité est l'accouplement des contraires, vie-mort, vérité-mensonge, paradis-enfer, rire-larmes... «Incompréhension. Solitude», écrit Blaise, attristé et fatigué à l'extrême.

Et pourtant, quelle capacité de renaissance, quelle profondeur dans la présence ! Le «Mémento» : «Mercredi 9 mai 1956. Depuis quinze jours, extraordinaire bonheur dans mon sommeil. Les limites de l'épuisement sont franchies, et dépassées les frontières assignées à la beauté et à l'horreur de vivre. Il n'y a

“Une preuve de mes origines paysannes : très souvent, le soir, en attendant que Raymone rentre du théâtre, je m'assieds sur ma table de travail et contemple ma bibliothèque dont neuf casiers sont remplis de mes œuvres et deux de ce que les autres ont pu écrire sur moi. Je suis là comme un paysan qui contemple ses champs du seuil de sa ferme. Du bien au soleil... de minuit ! Et quel calme !”

Blaise Cendrars, «Mémento», inédit

En 1950, André Malraux écrivait : «Ni le nom, ni l'œuvre de Cendrars ne sont ignorés : ils sont distraitement reconnus» (cité par Michel Décaudin dans la revue *Risques*, 1954). En 1958, il lui remet la cravate de commandeur de la Légion d'honneur. «Pour les deux hommes, relate Nino Frank, cela avait un sens précis, et qui dépassait le hochet en question : Malraux avait mis tout son cœur à demander cet honneur pour le seul survivant des grands poètes de l'esprit moderne.»

plus de nécessité, rien ne se maintient, n'est durable, sinon cette douleur ancienne dans mon bras coupé et cette douleur nouvelle dans mon bras gauche intact et qui est proprement effarante d'acuité et de nouveauté. Trop c'est trop. Je jette ma plume. Je n'en puis plus. La fin de vivre. En magie.»

Soudain, le 21 juillet, le coup terrible : l'hémiplégie paralyse son côté gauche et son unique main ne lui obéit plus. Mais cet homme est indomptable. Une fois de plus, à force de volonté et de rééducation, il lutte et gagne. «1er septembre 1956. Anniversaire : 69 ans. Un mois après l'attaque, je me remets petitement au travail. J'espère pouvoir tenir ma plume!... Mercredi 31 octobre [Avec le kinésithérapeute]. On est arrivé maintenant au stade où l'on peut aborder exclusivement la remise en état des mouvements de la main. A partir de demain je vais essayer de me remettre à écrire. Des nouvelles pour commencer!»

En 1958 une nouvelle attaque le terrasse.

«Je suis heureux comme un saint; je suis malade comme un bon roi oublié...»
Il s'applique, obstinément, à tracer sur des pages quasiment illisibles, bouleversantes, l'histoire de saint Benoît Labre, le plus pauvre des pauvres.

Le dernier livre préparé paraît : *Trop c'est trop*.

En première page, la liste des «œuvres du même auteur», bien que très incomplète, compte trente-sept titres, plus trois titres «sous presse», trois titres «en préparation» et... attention!... «Sur le chantier : 33 volumes.» A noter que le plus mystérieux, *La Légende de Novgorode*, y figure en tête de liste, daté de 1909!

Le 21 janvier 1961, Blaise Cendrars exhale son dernier souffle. Il entre dans une immuable paix. L'éternel, le profond aujourd'hui.

Raymone (ci-contre, dans sa loge à l'Athénée) n'oubliera jamais quel fut l'Amour de Blaise : «Par-devant l'Esprit Saint l'ascète se présente en mendiant, en fou d'amour et ses errances le mènent à la possession de Dieu, qui possède l'impudent à son tour... toute cette Gloire qui tombe du ciel sur la terre, et l'engloutit et l'ensevelit dans sa chaleur brûlante d'amour plus sûrement que le sable qui coule d'une clepsydre dans la gorge muette du temps ou les eaux agitées de la mer profonde, car cette Gloire est le baiser de l'Eternel : la Trinité, la *Vita Nova*» (*Le Lotissement du ciel*).

Ma Rimone
J'ai beaucoup de chagrin.
J'ai déjà perdu ma jeunesse,
(j'avais)
mais la mort de
Blaise, c'est la perdre une
seconde fois.
Je t'embrasse de
tout mon pauvre cœur
Jean Cocteau
✶

TÉMOIGNAGES ET DOCUMENTS

La nuit du 29 au 30. Un orage épouvantable se prépare.
Le baromètre tombe à vue d'œil. Je suis seul sur le pont, nu-tête,
me tenant des deux mains cramponné au bastingage et m'arc-boutant,
chaque fois qu'une vague, avec un terrible bruit de déluge,
me passe par-dessus et s'abat, tonnante d'écume, sur le pont.
Je suis heureux, je crie, intérieurement je bats des mains. C'est enivrant.
Le bateau semble bondir sur les flots, léger, heureux, fleuri d'écume,
une nef aventureuse. Les flancs palpitent. Cela me rappelle mon temps d'école
buissonnière, mes après-midi passées en voilier sur le lac de Neuchâtel.
Apogée de l'ouragan. Vent : dix boules (le taï-foun en a douze).
Spectacle grandiose. Le bateau s'élance de montagne en montagne,
se cabre, les vents hennissent!
Je suis seul dans la nuit, à regarder. J'ai la gelée,
mes mains sont gercées, mes lèvres crevées, je suis rouillé de sel.
C'est bien l'océan, tel que je le voulais.
Je suis heureux.

Blaise Cendrars,
Mon voyage en Amérique, novembre-décembre 1911

Le poète

Le jeune homme qui écrivait des premiers poèmes symbolistes trouve dans la grande ville moderne l'inspiration nouvelle, au-delà de l'«ancien jeu des vers». Il découvre sa source : «Je suis dans la profondeur.»

«New York in Flashlight»

Ce texte, préface à un livre dont le titre aurait été Séjour à New York, *est signé B. C., les nouvelles initiales de l'écrivain qui vient de naître et d'écrire son premier grand poème,* Pâques à New York. *En mai 1912, dans une lettre à son ami Suter, Blaise proposait : «Je suis prêt à envoyer des impressions, des films, des aperçus cinématographiques de la vie d'une grande ville américaine.»*

J'ai été en traitement chez un cinématographe.

Depuis lors je me suis procuré un appareil. Je l'emploie souvent. Surtout le soir, quand j'ai vainement peiné sur un poème et que les rimes ne viennent pas. L'appareil crépite. Le film ronronne. Les images pleuvent. Le cerveau se gonfle à la pluie. Les nerfs se détendent. Le cœur s'apaise. Les scènes défilent, me cinglent, comme les flagelles glacés des douches. La vulgarité de la vie quotidienne me régénère. Je ne poursuis plus de chimères. Je ne rêve pas. Pas de métaphysique. Pas d'abstraction. Les mâchoires se décrochent. Je ris, en équilibre dans un fauteuil. Pour cinq sous! C'est mon hygiène d'homme-de-lettres trop aigri. Le cinématographe est mon hydrothérapie.

J'aime aussi beaucoup les métropolitains et les chemins de fer suspendus. Surtout ceux de New York, car ils sont mal bâtis et il y arrive beaucoup d'accidents. Les express fusent. Les roues tournent. Les ressorts grincent. Un rythme aheurté, impair, m'emporte. Je bois de la vitesse, cette absinthe de tout le corps. Quand je suis ivre, le train s'arrête. Et mes excès ne vont pas plus loin.

Je me suis aussi acheté un gramophone. C'est par épargne. J'y enregistre sur les disques sympathiques le parler des gens qui dialoguent dans la rue. Je n'ai plus aucun frais d'imagination. Mes romans sont dictés par une machine parlante qui, parfois, hausse la voix et hurle l'en-tête redondante d'un journal. Elle me fait de la réclame. J'ai beaucoup de lecteurs.

J'ai su combiner les merveilles du monde moderne. J'ai inventé un appareil qui, actionné par les roues des express, déroule ses films transparents, débrouille ainsi, devant les passagers ennuyés, l'écheveau des dernières nouvelles télégraphiques qu'un gramophone grasseye. Pas une minute de perdue. «Time is money.» Je cherche à l'adapter aux besoins du commerce. A la place des insipides tableaux-réclames qui font le beau aux parois des wagons, les vues gesticulantes d'un grand magasin forceraient l'attention, tandis que le gramophone, avec la voix du patron, énoncerait les arrivages et les prix. On saisirait sur le vif le dialogue épique de la concurrence.

Quand mon appareil sera mis au point et dûment patenté, je ferai fortune. Après les Balzac, les Villiers, c'est là mon dernier rêve romantique. Millionnaire, je me ferai citoyen américain. Je suis pratique.

Ce livre est le produit des expériences de mise au point, au fond de mon laboratoire; c'est le premier fonctionnement de la machine. Il sert de prospectus à N.Y., cet entrepôt. Si sa vision est par trop spéciale, sa caractéristique est d'autant plus déterminée. Plus de routine. La machine fait tout.

Blaise Cendrars,
New York in Flashlight,
préface, 1912;
Inédits secrets,
Club français du Livre, 1969

Vivre n'est pas un métier

Blaise Cendrars publiait en novembre 1913, dans la revue d'avant-garde allemande Der Sturm*, un article concluant la polémique déclenchée par la parution du «Premier Livre simultané», la* Prose du Transsibérien et de la Petite Jehanne de France.

Je ne suis pas poète. Je suis libertin. Je n'ai aucune méthode de travail. J'ai un sexe. Je suis par trop sensible. Je ne sais pas parler objectivement de moi-même. Tout être vivant est une physiologie. Et si j'écris, c'est peut-être par besoin, par hygiène, comme on mange, comme on respire, comme on chante. C'est peut-être par instinct; peut-être par spiritualité. *Pangue lingua*. Les animaux ont tant de manies! C'est peut-être aussi pour m'entraîner, pour m'exciter – pour m'exciter à vivre, mieux, tant et plus!

La littérature fait partie de la vie. Ce n'est pas quelque chose «à part». Je n'écris pas par métier. Vivre n'est pas un métier. Il n'y a donc pas d'artistes. Les organismes vivants ne travaillent pas. Je n'aime pas la sueur de mon front malgré les avis salutaires d'un livre par trop fameux. Il n'y a pas de spécialisations. Je ne suis pas homme de lettres. Je dénonce les bûcheurs et les arrivistes. Il n'y a pas d'écoles. En Grèce ou dans les geôles de Sing-Sing, j'écrirais autrement. J'ai fait mes plus beaux poèmes dans les grandes villes parmi cinq millions d'hommes – ou à cinq mille lieues sous les mers en compagnie de Jules Verne. Pour ne pas oublier les plus beaux jeux de mon enfance. Toute vie n'est qu'un poème, un mouvement. Je ne suis qu'un mot, une verve, une profondeur, dans le sens le plus sauvage, le plus mystique, le plus vivant.

La *Prose du Transsibérien* est donc bien un poème, puisque c'est l'œuvre d'un libertin. Mettons que c'est son amour, sa passion, son vice, sa grandeur, son vomissement. C'est une partie de lui-même. Son Eve. La côte qu'il s'est arrachée. Une œuvre mortelle, blessée d'amour, enceinte. Un rire effroyable. De la vie, de la vie. Du rouge et du bleu, du rêve et du sang, comme dans les contes.

J'aime les légendes, les dialectes, les fautes de langage, les romans policiers, la chair des filles, le soleil, la Tour Eiffel, les apaches, les bons nègres et ce rusé d'Européen qui jouit goguenard de la modernité. Où je vais? Je n'en sais rien, puisque j'entre même dans les musées. Quant à mes moyens, ils sont inépuisables; je suis né prodigue.

Le chat domestique a le pelage soyeux; son échine est souple, électrique; ses pattes sont bien armées, ses griffes fortes; il saute sur la proie qu'il convoite. Mais le chat sauvage saute bien mieux : il ne manque jamais son coup. J'ai des chats sauvages plein la bouche.

Voilà ce que je tenais à dire : j'ai la fièvre. Et c'est pourquoi j'aime la peinture des Delaunay, pleine de soleils, de ruts, de violences. Mme Delaunay a fait un si beau livre de couleurs, que mon poème est plus trempé de lumière que ma vie. Voilà ce qui me rend heureux. Puis encore, que ce livre ait deux mètres de long! Et encore, que l'édition atteigne la hauteur de la Tour Eiffel!

... Maintenant il se trouvera bien des grincheux pour dire que le soleil a peut-être des fenêtres et que je n'ai jamais fait mon voyage...

Blaise Cendrars,
Der Sturm, novembre 1913

Qu'est-ce qu'un libertin?

Au sujet d'une étude sur les «libertins» à publier en 1913 dans la revue Les Hommes nouveaux, *Cendrars note dans son* Cahier gris *sa conviction apparemment paradoxale : le vrai* libertin *est un véritable ascète.*

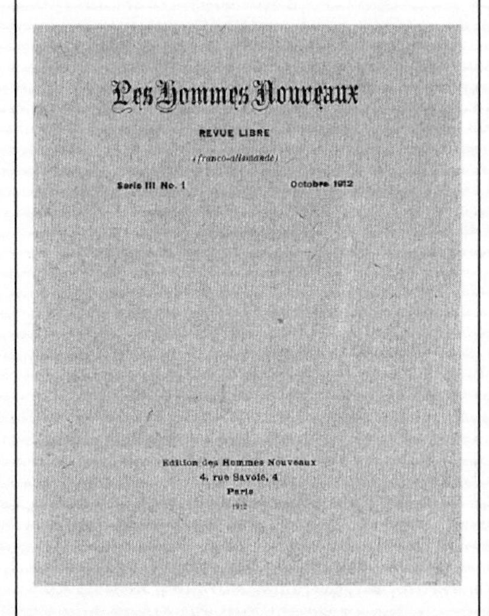
Les Hommes Nouveaux

REVUE LIBRE

(franco-allemande)

Serie III No. 1 — Octobre 1912

Edition des Hommes Nouveaux
4, rue Savoie, 4
Paris
1912

Un libertin, selon l'origine latine du mot, *libertinus* = affranchi, fils d'affranchi, est «celui qui s'affranchit de l'autorité, de la religion, des croyances, de la discipline; celui qui s'affranchit de toute règle, de toute autorité…» Le sens péjoratif que la langue française a donné à ce terme semble venir d'un personnage de la Bible : *Acte des Apôtres VI, 9* – cf Darmesteter, II, p. 1399. «Libertaire», en ces temps de politique, a une nuance politique, donc sentimentale. Je choisis «libertin»: celui qui vit dans la liberté de penser et surtout de sentir, et j'accepte le sens méprisant qui est, au moins, franchement sexuel. Le libertin : le représentant de ces esprits qui méprisent le bonheur et qui seuls l'ont peut-être goûté car, grâce à l'ironie, ils ont vécu une vie grave et ample, intellectuelle et sensuelle, et on connu toutes les ivresses d'être.

La «Prose du Transsibérien»

En 1913, aux Editions des Hommes nouveaux, sises à Paris en une mansarde du 4, rue de Savoie, le tirage du fabuleux *Premier Livre simultané*, précieux livre-tableau, avait été prévu à 150 exemplaires totalisant 300 mètres, la hauteur de la Tour Eiffel, symbole de la modernité. Le tirage annoncé était de 8 sur parchemin, 28 sur japon impérial, 114 sur simili-japon. Il semblerait que le tirage réel n'aurait pas excédé 60 ouvrages.

Le texte fut composé à l'imprimerie Créteil à Corbeil, sur quatre feuilles destinées à être collées à la suite les unes des autres. La typographie, en couleurs, en caractères et corps variés, a été créée et mise en pages par Blaise Cendrars pour exprimer visuellement les rythmes, le ton, les émotions du poème. Les couleurs simultanées : «lignes, sensations, sentiments, de l'inspiration pure», étaient appliquées au pochoir, sur chaque exemplaire, selon la maquette de Sonia Delaunay. L'ensemble se plie par moitié verticalement, puis en accordéon, suivant 21 plis horizontaux : son format devient alors celui d'un livre de 20,5 x 23,5 cm. Il est logé dans une couverture peinte au pochoir en chevreau noir ou en parchemin.

Les exemplaires recensés à ce jour seraient d'une quinzaine, conservés dans divers musées et bibliothèques à travers le monde, notamment à Paris, à Berne, à New York, à Saint-Pétersbourg, ou encore dans des collections particulières. Le passage d'un exemplaire en vente publique est toujours un événement exceptionnel.

Le *Premier Livre simultané* est resté une création unique, d'une beauté et d'une originalité inégalées dans le domaine de l'édition.

En 1953, l'acteur Marcel Herrand le présentait à la radio en compagnie de Cendrars. Dans son «Cahier-Mémento», Blaise commentait la prestation : «*Le Transsibérien* avec Herrand. C'était bien, avec pas mal de *lapsus linguae*, et même des nasillements. Fausses intonations dues au manque de ponctuation. Mon commentaire ne valait pas lourd. Attention, j'ai trop l'air de m'en fiche. Cela n'est pas naturel. Mais le poème est beau, plein de suc et de sève, sain, nourrissant, une belle coulée de lave et de réalité. Toute l'époque y est. C'est prophétique. Une fois de plus, j'ai la preuve que ces trois poèmes n'ont pas besoin d'être farcis à la mode de la radio…»

Miriam Cendrars

Poème de Blaise Cendrars mis en page et en couleurs par Sonia Delaunay, en 1914, pour la publicité des montres Zénith.

A travers les guerres

Dès 1917, Cendrars projetait d'écrire La Main coupée. *La guerre sera présente dans son œuvre. Mais l'alchimie finale par l'écriture ne se fit que trente ans après et avec la désespérante expérience d'un second conflit mondial.*

La première, dite «La Grande»

Mes plus affreux souvenirs de guerre sont ces nuits passées obligatoirement dans un abri blindé, à regarder mes camarades dormir. L'un est vautré, l'autre à plat, les uns sont en chien de fusil, d'autres bras, jambes, pantalons ouverts, les uns ronflent, les autres geignent comme s'ils étaient tourmentés par les vers, il y en a qui se réveillent pour manger, d'autres pour aller uriner, l'un serre les poings dans son rêve et pousse des hurlements, un autre se bat, un autre se débat comme pris dans une toile d'araignée, un autre encore se mord silencieusement la langue. Tous grimacent. Tous s'agitent, se tordent, prennent des attitudes déhanchées, des poses tourmentées. Les membres déjetés, les mâchoires pendantes, le visage plein de trous d'ombre et la peau du ventre, du dos ou de la poitrine en train de moitir dans des flaques de nu, ils ont l'air de demi-matérialisations avortées, d'un grouillement d'êtres, la tête aux jambes et les fesses sur les épaules, d'ectoplasmes bourgeonnant dans l'éclairage d'une bougie qui sursaute, que la force des explosions du dehors souffle à tout bout de champ et qu'il me faut sans cesse rallumer. Le désordre des armes éparses dans la paille pouilleuse, des musettes, des paquetages éventrés dans la boue, des pièces de vêtements, des linges, des pansements défaits qui flottent dans l'eau qui suinte, ajoutait je ne sais quelle sanguinaire confusion au spectacle de leur sommeil.

Je fermais les yeux.

Dans le silence terrifiant, entre deux explosions, j'entendais le souffle lointain de mes camarades monter du plus profond de leur être, s'emballer dans leur poitrine, mugir, s'approcher, grandir en sifflant avant d'éclater par leur bouche sous forme de toux rauques, de renâclements lugubres, de hoquets et de soupirs comme ces obus qui nous tombaient dessus crachés par des bouches d'airain, obus qui venaient de loin et dont beaucoup foiraient avec un étrange bâillement. J'avais l'impression d'avoir déjà enregistré une fois dans ma vie cette symphonie singulière, où les plus furieuses détonations n'avaient pas plus d'ampleur qu'un gémissement étouffé et où la plainte secrète d'un cœur angoissé écrasait la voix des canons. La tête me tournait d'écouter tout cela retentir au fond de moi-même…

Je me secouais.

La cagna devenait irrespirable.

Aucune hésitation ne m'effleurait.

Je sortais.

Dehors, le pilonnage battait son plein avec la violence d'une débâcle. Si je dois être tué, bien, mais je veux vivre.

Blaise Cendrars,
Les Confessions de Dan Yack,
Au Sans Pareil, 1929

La naissance de Charlot

Charlot est né au Front. Jamais je n'oublierai la première fois que j'ai entendu parler de lui. C'était au Bois de la Vache, par une soirée d'automne, pluvieuse et détrempée. Nous pataugions dans la boue, en sentinelles perdues, dans un entonnoir de mine qui se remplissait d'eau, quand Garnier, dit Chaude-Pisse, vint nous rejoindre, retour de permission. C'était en 1915. Garnier était le premier permissionnaire de notre demi-section de hardis patrouilleurs. Il radinait tout droit de Paris. Toute la nuit il ne nous parla que de Charlot. Qui ça, Charlot? Garnier était plein comme une bourrique. Je crois que Charlot était une espèce de frangin à lui. Et il nous fit bien rigoler avec ses histoires.

A partir de ce soir-là et de huit en quinze jours, chaque fournée de permissionnaires nous ramenait de nouvelles histoires de Charlot et, nous autres, pauvres bougres, qui attendions toujours notre tour d'aller en permission (on nous avait oubliés, nous sommes restés 92 jours sans décoller de ce petit poste du Bois de la Vache), nous nous faisions salement engueuler quand nous posions des questions pour savoir ce qu'il y avait de neuf à Paris.

«Non mais des fois, t'as besoin de savoir Paname? R'gardez-le donc, c'salé, qui n'a pas vu Charlot! La ferme, hein!»

Nous nous taisions.

Tout le front ne parlait que de Charlot. A la roulante, au ravitaillement, à la corvée d'eau ou de pinard, le téléphoniste au bout du fil, la liaison dans le P.C., le vaguemestre qui apportait les babillardes et jusqu'à ces babillardes elles-mêmes, d'un copain à l'hosteau ou d'une marraine distinguée, jusqu'à ces babillardes elles-mêmes qui ne nous parlaient que de Charlot.

Un matin que je descendais au rapport du capiston, sale, dégueulasse, avec une barbe de soixante jours, les pantalons déchirés par les barbelés, je tombai en plein sur un groupe de joyeux artilleurs qui mettaient une pièce en batterie et qui m'accueillirent au cri de : «Tiens, v'là Charlot!» Et tous d'éclater de rire.

Qui ca, Charlot?

J'en restais rêveur. J'aurais bien voulu connaître ce nouveau Poilu qui faisait se gondoler le front.

Charlot, Charlot, Charlot. Charlot dans toutes les cagnas et, la nuit, l'on entendait rire jusqu'au fond des sapes. A gauche et à droite, et toute la ligne des poilus derrière nous, on se trémoussait.

Charlot, Charlot, Charlot.

La ligne d'en face, par contre, restait dure, et en dressant l'oreille nous entendions de notre petit poste avancé le *Wer da*? des sentinelles allemandes. Charlot était Français.

Un jour, ce fut enfin mon tour d'aller en perme. J'arrivai à Paris. Quelle émotion en sortant de la gare du Nord, en sentant le bon pavé de bois sous mes godillots et en voyant, pour la première fois depuis le début de la guerre, des maisons pas trop chahutées. Après avoir salué la Tour Eiffel, je me précipitai dans un petit ciné de la place Pigalle.

Je vis Charlot.

C'était Lui.

Lui, le petit étudiant pauvre dont je partageais la misérable chambre, à Londres, vers 1909, ce pauvre petit étudiant en médecine qui lisait Schopenhauer toute la journée et qui le soir, encaissait des coups de pied au cul dans un brillant Music-Hall où Lucien Kra, aujourd'hui éditeur, triomphait comme champion du monde de *diabolo* et où je jonglais moi-même des deux mains, car, alors, j'avais encore mes deux mains…

Charlot!

Quelle bosse je me suis payée!

– Hé, soldat, on ne rit pas comme ça. C'est la guerre! me dit un digne Monsieur de l'arrière.

– Merde, je viens voir Charlot! Il ne pouvait pas comprendre. Je riais aux larmes.

Blaise Cendrars,
Aujourd'hui, «Actualités», 1926

La deuxième, dite «La Mondiale»

Florent Fels fut critique d'art, directeur de la revue L'Art vivant, *cofondateur des hebdomadaires* Vu *et* Voilà, *qu'il dirigea. Après 1945, il a été chargé de la direction des programmes à Radio-Monte-Carlo.*

Cendrars? Un lansquenet, un reître, un homme de la Renaissance, une sorte de Cellini sans armure, plus exposé qu'au temps du sac de Rome. Il me semble que je l'ai toujours connu. Mais, peut-être, cette vue que j'ai de lui me vient de rencontres qui se situent au temps où l'un et l'autre nous portions l'uniforme.

L'uniforme kaki, en 1939. Accueillis autour d'une grande table, à l'ambassade britannique, nous allions être correspondants de guerre auprès de l'armée en campagne : on nous distribuait des insignes de «War

Blaise Cendrars, correspondant auprès de l'armée anglaise pendant la Seconde Guerre mondiale, de 1939 à 1940.

Correspondent», dorés sur fond vert, à coudre sur nos casquettes et sur les cols de nos uniformes. Il y avait là Claude Blanchard, André Maurois, d'autres. Soudain, on entendit gronder la voix de Blaise :

– C'est cela que nous devons coudre sur nos casquettes et nos vareuses? W.C…

Il avait, dans son caractère, le goût de la rouspétance. Mais, là, il avait raison… On comprit et on nous fit de nouveaux insignes qui, cette fois-ci, portaient en lettres d'or une seule lettre : C.

Cendrars éclata d'un rire homérique…

Avant, il y avait eu un autre uniforme, le gris bleu. En 1916, dans ma cagna, je lisais *Pâques à New York*, que j'avais acheté dix sous sur les quais, lors d'une permission. Je lui écrivis, et un matin, au petit jour, je débarquai chez lui, rue de Savoie. Il reposait sur un lit-cage, recouvert de sa capote de soldat. Aux murs, des toiles de Modigliani, Léger, Chagall, Soutine, Delaunay, – c'était la première fois que je voyais les noms de ces peintres, j'étais presque atterré mais enchanté en découvrant un univers esthétique qui m'était encore inconnu.

C'est au moment de le quitter, après trois heures de conversation, et alors qu'il avait endossé sa livrée délavée de soldat, c'est à ce moment seulement que je vis qu'il n'avait qu'un bras.

Il saisit, sur une pile de livres, un volume et me le passa : un de ses copains, éditeur, lui en avait passé quelques exemplaires pour qu'il le fît lire aux amis. Il me dit que c'était un livre épatant.

Quand je fus dans la rue, je tirai le livre de la poche de ma capote et je lus ce titre étrange : *Du côté de chez Swann*.

Florent Fels,
Témoignage,
Œuvres complètes de Blaise Cendrars,
Tome 8, Club français du Livre, 1970

Les images et la langue du monde moderne

Dès 1907, en Russie, Freddy fréquentait les musées et étudiait l'histoire de l'art. Lorsque Blaise arrive à Paris en 1911 après son voyage en Amérique et sa première intuition de la modernité, il reconnaît la valeur des jeunes peintres d'avant-garde. Les articles qu'il écrit sur eux en 1913 sont d'actualité. Quant au langage, il en explore toutes les formes d'expression, poésie, prose, musique, peinture, affiches, cinéma : «Les fenêtres de ma poésie sont grand'ouvertes sur les Boulevards…»

Fernand Léger et Blaise Cendrars vers 1950.

«La Tour Eiffel» de Robert Delaunay

Les impressionnistes, les fauves, les cubistes intéressèrent Delaunay, qui remit tout en question lorsqu'il rencontra Blaise.

Et toute la personnalité de Paris le pénètre. De plus en plus, lui qui passe des mois à contempler Paris du haut des tours, de plus en plus, ses yeux se tournent vers la Tour Eiffel, cette forme extraordinaire.

C'est à ce moment que je le rencontre. Je lui parle de New York, de Berlin, de Moscou, des prodigieux centres d'activité industrielle, épars sur toute la surface de la terre, de la vie nouvelle en formation, du lyrisme universel, et ce grand garçon, qui n'avait jamais quitté Paris, et que seules des questions de forme et de couleur préoccupaient, avait deviné tout cela, en contemplant la Tour, en déchiffrant les premières affiches colorées qui commençaient à recouvrir les maisons, en voyant naître sous ses yeux la vie mécanique dans les rues.

… J'accompagnai Delaunay voir la Tour. Voici notre voyage autour et dans la Tour Eiffel.

Aucune formule d'art, connue jusqu'à ce jour, ne pouvait avoir la prétention de résoudre plastiquement le cas de la Tour Eiffel. Le réalisme la rapetissait; les vieilles lois de la perspective italienne l'amincissaient. La Tour se dressait au-dessus de Paris, fine comme une épingle à chapeau. Quand nous nous éloignions d'elle, elle dominait Paris, roide et perpendiculaire; quand nous nous en approchions, elle s'inclinait et se penchait au-dessus de nous. Vue de la première plate-forme, elle se tire-bouchonnait et vue du sommet, elle s'affaissait sur elle-même, les jambes écartées, le cou rentré. Delaunay voulait également rendre Paris tout autour d'elle, la situer. Nous avons essayé tous les points de vues, nous l'avons regardée sous tous ses angles, sous toutes ses faces, et son profil le plus aigu est celui que l'on découvre du haut de la passerelle de Passy. Et ces milliers de tonnes de fer, ces trente-cinq millions de boulons, ces trois cents mètres de hauteur de poutres et de poutrelles enchevêtrées, ces quatre arcs de cent mètres d'envergure, toute cette masse vertigineuse, faisait la coquette avec nous. Certains jours de printemps elle était souple et rieuse et nous ouvrait au nez son ombrelle de nuages. Certains jours de mauvais temps, elle nous boudait, rêche et disgracieuse, elle avait l'air d'avoir froid. A minuit, nous n'existions plus, tous ses feux étaient pour New York avec qui elle flirtait déjà à cette époque-là; et à midi, elle donnait l'heure aux navires en haute mer. C'est elle qui m'a appris l'alphabet Morse, ce qui me permet aujourd'hui de comprendre les étincelles des radios. Et comme nous rôdions autour d'elle, nous découvrîmes qu'elle exerçait une singulière attraction sur un tas de gens. Des amoureux montaient à cent, à deux cents mètres au-dessus de Paris pour s'isoler; des couples en voyage de noces venaient de province ou de l'étranger pour la visiter; un jour, nous rencontrâmes un gamin de quinze ans qui avait fait la route de Dusseldorf à Paris, à pied, pour la voir. Les premiers avions tournaient autour d'elle et lui disaient bonjour, Santos-Dumont l'avait déjà prise pour but lors de son mémorable vol en dirigeable, comme les Allemands devaient la prendre pour objectif durant la guerre, objectif symbolique et non stratégique, et je vous assure qu'ils ne l'auraient pas eue, car les Parisiens se seraient fait tuer pour elle et Galliéni était décidé à la faire sauter, notre Tour!

Autant de points de vues pour traiter le cas de la Tour Eiffel. Mais Delaunay voulait l'interpréter plastiquement. Enfin il y réussit avec la toile fameuse que tout le monde connaît. Il désarticula la Tour pour la faire entrer dans son cadre, il la tronqua et l'inclina pour lui donner ses trois cents mètres de vertige, il adopta dix points de vues, quinze perspectives, telle partie est vue d'en bas, telle autre d'en haut, les maisons qui l'entourent sont prises de droite, de gauche, à vol d'oiseau, terre à terre...

Blaise Cendrars,
«Peintres», *Aujourd'hui*,
São Paulo, 1924

Fernand Léger

Dès 1912, Blaise devint l'ami admiratif de Léger («lourdaud», plaisantera-t-il) et encouragea Paulo Prado, le «roi du café» brésilien, à acquérir ses toiles.

Fernand Léger n'a jamais été un cubiste intégral, en ce sens qu'il n'est jamais tombé dans l'hérésie, chère au groupe, de l'identité de l'objet et de sa représentation. Il n'a rien du théoricien abscons, clos, hermétique. Ouvert à toutes les nouveautés, quand il se mit à la discipline cubiste, par pure conscience de peintre soucieux des ressources et des moyens de son métier, il eut le rare mérite de ne jamais perdre de vue le premier point de la doctrine, la recherche de la profondeur.

Dès avant la guerre, ses toiles avaient déjà un aspect «tout autre» que l'aspect général des autres toiles cubistes. Elles étaient directes, souvent brutales, sans jamais aucune recherche de joli, d'arrangé, de fini, et restaient toujours dans le domaine de la représentation visuelle. C'étaient plutôt des œuvres de laboratoire que des tableaux définitifs. Léger y étudiait le cube, et avec cette lourdeur d'esprit si naturelle et souvent si indispensable au peintre, il construisait forcément avec ordre, étudiant *successivement* les volumes, puis les mesures. Alors que même un Picasso et un Braque étaient influencés, sinon inquiétés par la virtuosité des théoriciens de la quatrième dimension, Léger continuait patiemment son labeur, allant si loin dans l'étude des volumes et des mesures qu'il donna, d'une part, naissance au rayonnisme russe de Larionow et, d'autre part, influença directement les meilleurs parmi les peintres futuristes italiens. Bien qu'encore confuses et souvent incompréhensibles, ces toiles étaient les premières œuvres d'une nouvelle esthétique mondiale qui annonçait la transformation totale du cubisme, voire sa disparition. Léger avançait dans la profondeur et, plus il progressait, plus il s'approchait du sujet.

Survint la guerre. C'est à la guerre que Léger a eu la révélation soudaine de la profondeur d'aujourd'hui.

Un trou d'obus sur lequel darde le lourd regard du monde. Autour, les pays étrangers, le pays de l'arrière et le pays d'en face. Les barbelés nouent ces pays divisés, relient les continents aux îles et l'Afrique du Togoland est toute proche. Des nappes immenses d'hommes uniformes. Le grouillement pittoresque des escouades. Le poilu ingénieux. Puis de nouvelles et de nouvelles armées d'ouvriers. Des montagnes de matières premières pures, de produits manufacturés. Des parcs d'engins, d'instruments, d'outils. L'esprit du peintre guette tout cela. Autour de lui des formes nouvelles surgissent tous les jours. Des volumes énormes se meuvent avec agilité, grâce à une série de petites mesures démultipliées. Son œil va du bidon au zeppelin, du caterpillar au petit ressort du briquet à déclic. Un signal optique. Un écriteau. Une affiche. Les escadres d'aéroplanes, les convois de camions, les bouches à feu en flûte de Pan, les moteurs américains, les poignards malais, les conserves anglaises, les soldats internationaux, les chimies allemandes, la culasse du 75, tout porte la marque d'une formidable unité. Tout est contraste. Les navires deviennent invisibles en haute mer à force d'être surchargés de couleurs. Le détail pittoresque fait partie d'un ensemble grandiose qui résorbe jusqu'aux plus criantes antinomies. Tout cela pour le plus grand plaisir des yeux. Le cœur dans la poitrine. Et la joie de se sentir vivre et mourir. Voilà le sujet : la création et l'activité humaine. Il n'a plus rien d'anecdotique, car on n'en peut fixer un détail sans en évoquer l'ensemble.

Aujourd'hui, Léger est maître de son sujet et, qu'il peigne la rue ou l'usine, il n'oubliera jamais cette complexe Unité née de la guerre, la Puissance d'aujourd'hui, l'Esprit et la Lettre de la Profondeur.

Blaise Cendrars,
«Peintres», *Aujourd'hui*,
Paris, 3 juillet 1919

Pablo Picasso

Blaise salue Picasso, «antithéoricien», pour son passage de l'expérience cubiste à d'autres recherches.

Picasso. Je ne connais pas de tempérament plus tourmenté, d'esprit plus inquiet, des doigts et des pinceaux plus rapides et plus subtils. Sa fougue, son adresse, son orgueil, la voltige, l'amour, la cruauté, l'élégance, le dessin, l'arabesque, la perversité, le rare, l'occulte, son goût suraigu, l'apparentent à Gilles de Rais et font que sa production est d'ordre intellectuel au même titre que celle d'un homme de lettres. Le fait est si rare en peinture qu'il vaut la peine d'être noté.

Je ne dis pas que Picasso fasse de la littérature (comme Gustave Moreau), mais je prétends qu'il a été le premier à introduire en peinture certains «procédés» considérés, jusqu'alors, comme exclusivement littéraires. Ni étude ni copie de la réalité. Vraie absorption. Contemplation. Magnétisme et intuition. Voici le premier peintre libéré. Il crée. Il a le sens mystérieux des «correspondances» et possède le chiffre secret du monde. Il évoque, il transpose. Il dépouille énigmatiquement. Il insiste. Il montre du doigt. Il ne cligne jamais des yeux, car il a les yeux transfigurés de la foi. Il affirme la vie. Il adore. Ebloui. Aussi chez lui, nulle analyse scientifique, nulle théorie protestante, nul mensonge préconçu; mais de la religion perpétuelle, des sens catholiques et cette vérité stupéfiante du cœur. Car il aime. Et tout ce qui sort de sa main est animé, toujours.

Il est, avant tout, le peintre du vrai. L'homme, l'animal, la plante, la matière incomprise, l'abstraction grêle, tout vit, grandit, souffre, s'accouple, se multiplie, disparaît, bouge, grandit encore, menace, s'impose, se cristallise. C'est le seul homme au monde qui sache peindre, chaud, froid, faim, soif, parfum, odeur, fatigue, rut, envie, paralysie, palpitation, tiraillement, secousses obscures du subconscient «énorme et délicat». Alors, son démon littéraire intervient. Le peintre coupe, perce, scie, poignarde, écartèle, déchire, étrangle. La matière est tout à coup là. A l'œil. Grossie d'un cran. Ceci nous donne la clé du cubisme de Picasso qui n'est pas d'ordre purement esthétique, comme ses imitateurs l'ont cru, mais est plutôt un exorcisme d'ordre religieux qui dégage la réalité latente, spirituelle, du monde. Et c'est encore de l'amour. Une transposition idéaliste.

Etant donné le tempérament particulièrement littéraire de Picasso, je considère ses investigations dans la matière comme des notations rapides, aiguës, pittoresques, saisissantes de la profondeur, des «Histoires naturelles» à la Jules Renard. Et si l'on a baptisé Jules Renard «l'œil», j'appellerai Picasso le «regard» – un regard mystique, tendre, soutenu, cruel, sauvage, voluptueux, sadique.

Depuis la guerre, le maître Picasso s'est magnifiquement isolé, il a encore grandi et s'est éloigné, dans son sens à lui, plein de logique, de souplesse et de grâce. Comme ses Arlequins, sa peinture porte toujours un loup sur son visage. Tant pis pour ceux qui se sont laissé prendre à ce mystère. Picasso ne veut plus de disciples. Il sait. Il est jaloux du visage, de la sérénité de sa peinture.

Blaise Cendrars,
«Peintres», *Aujourd'hui*,
Paris, 29 mai 1919

Publicité = Poésie

Cendrars fit scandale en intégrant dans la poésie cette expression de la modernité, langage neuf.

La publicité est la fleur de la vie contemporaine; elle est une affirmation d'optimisme et de gaîté; elle distrait l'œil et l'esprit.

C'est la plus chaleureuse manifestation de la vitalité des hommes d'aujourd'hui, de leur puissance, de leur puérilité, de leur don d'invention et d'imagination, et la plus belle réussite de leur volonté de moderniser le monde dans tous ses aspects et dans tous les domaines.

Avez-vous déjà pensé à la tristesse que représenteraient les rues, les places, les gares, le métro, les palaces, les dancings, les cinémas, le wagon-restaurant, les voyages, les routes pour automobiles, la nature, sans les innombrables affiches, sans les vitrines (ces beaux joujoux tout neufs pour familles soucieuses), sans les enseignes lumineuses, sans les boniments des haut-parleurs, et concevez-vous la tristesse et la monotonie des repas et des vins sans les menus polychromés et sans les belles étiquettes?

Oui, vraiment, la publicité est la plus belle expression de notre époque, la plus grande nouveauté du jour, un Art.

Un art qui fait appel à l'internationalisme, ou polyglottisme, à la psychologie des foules et qui bouleverse toutes les techniques statiques ou dynamiques connues, en faisant une utilisation intensive, sans cesse renouvelée et efficace, de matières nouvelles et de procédés inédits.

Ce qui caractérise l'ensemble de la publicité mondiale est son lyrisme.

Et ici la publicité touche à la poésie.

Le lyrisme est une façon d'être et de sentir, le langage est le reflet de la conscience humaine, la poésie fait connaître (tout comme la publicité un produit) l'image de l'esprit qui la conçoit.

Or, dans l'ensemble de la vie contemporaine, seul, le poète d'aujourd'hui a pris conscience de son époque, est la conscience de cette époque.

C'est pourquoi je fais ici appel à tous les poètes : Amis, la publicité est votre domaine.

Elle parle votre langue.

Elle réalise votre poétique.

Le langage est né de la vie, et la vie, après l'avoir créé, l'alimente.

Il y a dans le langage parlé la spontanéité qui enveloppe et colore l'expression de la pensée et rend la grammaire instable.

La phrase est antérieure au mot de la grammaire, le mot est antérieur à la syllabe. Et le langage reste subordonné à la vie dans son infini développement.

Industriels, faites faire votre publicité par les poètes comme le fait Moscou pour sa propagande.

On m'a souvent demandé quelles étaient les sept merveilles du monde moderne?

Elles sont :

1° Le moteur à explosion;

2° Le roulement à billes S. K. F.;

3° La coupe d'un grand tailleur;

4° La musique de Satie qu'on peut enfin écouter sans se prendre la tête dans les mains;

5° L'argent;

Cette triple affiche du célèbre graphiste Cassandre a couvert les murs de la France dans les années trente.

6° La nuque dénudée d'une femme qui vient de se faire couper les cheveux;

7° La publicité.

J'en connais encore 700 ou 800 autres qui meurent et qui naissent tous les jours.

Blaise Cendrars,
Aujourd'hui,
Paris, 26 février 1927

Le langage

Ce texte est extrait d'une conférence donnée à São Paulo, Brésil, à la demande du groupe des «modernistas».

Le changement est une des lois du langage.

La vie et la pensée se coulent dans le langage. Les langues mortes sont comme les fossiles qui gardent l'empreinte de l'être vivant. Les langues vivantes expriment dans des formes muables tout le travail intérieur et toutes les influences extérieures de la vie individuelle et collective.

Il y a plusieurs espèces de langage.

Tous les organes des sens peuvent servir à aérer un langage.

Il y a le langage olfactif et le langage tactile, le langage visuel et le langage auditif.

Un parfum répandu sur une robe, un mouchoir rouge ou vert dépassant la poche d'un veston, un serrement de main plus ou moins prolongé constituent les éléments d'un langage dès que deux personnes ont convenu d'utiliser ces signes pour se transmettre un ordre ou un avis.

Le geste scande la parole.

Les attitudes du visage traduisent, en même temps que la voix, les émotions et les pensées.

Il y a le code des signaux marins.

Les signaux optiques colorés.

La T.S.F.

Le cinéma.

L'écriture et l'imprimerie.

Les disques et la téléphonie sans fil.

Les poètes d'aujourd'hui se sont servis de tout cela.

Et c'est ce que la critique n'a pas voulu admettre, la critique des catégories et des genres littéraires.

Mais le grand public, lui, ne s'y est pas trompé, le grand public qui lit les journaux et dont l'éducation de l'œil se fait tous les jours dans la typographie des pages d'annonces, le commerçant qui dispose dans sa vitrine les chiffres et les prix avec une extrême sensibilité, l'industriel qui pour lancer un produit inonde une ville d'affiches multicolores et de lettres gigantesques et qui étaie les architectures hybrides avec le «Bébé Cadum», le financier international qui pour développer une ville d'eau, les sports d'hiver ou un pays à tourisme, allume toutes les nuits de nouvelles constellations électriques qui s'appellent «Vichy, Vittel, Chamonix, Côte d'Azur, Font-Romeu. »

J'ai envié le grand poète russe Maïakowsky de pouvoir rédiger tous les soirs le journal lumineux que les bolcheviks ont installé sur la Place Rouge de Moscou et qui employait souvent des images, des signes nouveaux et même des proverbes animés, démotiques, cinématographiques, pour se faire comprendre par l'énorme foule des illettrés.

Celui qui a vu, il y a quelques années, dans le ciel transparent de Paris, un aviateur tracer ces lettres de fumée de cent mètres de hauteur pour annoncer une nouvelle marque d'automobiles, «Citroën», a dû comprendre l'héroïsme, la science, l'audace, la précision, la virtuosité, la candeur, l'universalité de la poésie et du poète moderne.

Blaise Cendrars,
Aujourd'hui, «Les peintres modernes dans l'ensemble de la vie contemporaine», São Paulo, 1924

Le Brésil

Les voyages de Blaise dans l'univers brésilien l'ont conduit dans bien des directions. L'exotisme, l'aventure, la magie en font partie, mais il en révèle l'essentiel dans «La Tour Eiffel sidérale». Il écrit : «Après Bourlinguer *le voyage continue mais sur les voies du monde intérieur. C'était urgent.»*

«Ma chère petite et grande Tarsila»

Tarsila do Amaral, (1890-1973), peintre brésilien célèbre, se trouve, avec son mari Oswald de Andrade, à l'origine des rapports qui s'établiront entre Blaise Cendrars et le Brésil des modernistas et de l'Aleijadinho. Elle a illustré l'édition originale de Feuilles de route.

Quand j'ai connu Blaise Cendrars à Paris en 1923, il vivait dans une effervescence continuelle, personnifiant au théâtre, en littérature, pour les arts plastiques même, les conceptions les plus agressives contre les modèles du passé. C'était d'ailleurs une époque où l'on discutait partout art et poésie, critiques et désaccords éclatant à tout bout de champ. Cendrars, pionnier d'un lyrisme libre, agile et fort, sain et savoureux comme un fruit sauvage, était l'une des cibles de ceux que l'on

Ci-dessus, le portrait de Cendrars par Tarsila do Amaral; à droite, Tarsila par Blaise.

n'appelait pas encore les surréalistes. Cocteau était une autre de ces cibles, mais toutefois appelait Cendrars «le pirate du Lac Léman». Cendrars s'en moquait, traitant Cocteau de «petite nature».

Pour moi, je ne prenais certes pas parti, trouvant qu'en fin de compte ces querelles étaient dépourvues de méchanceté. C'est que je voulais connaître Paris dans tous ses égarements, et, avec la curiosité des gens du Nouveau Monde, je fréquentais les groupes antagonistes. Je les réunissais dans mon studio de la rue Hégésippe-Moreau, où avaient lieu de petits banquets à la brésilienne, avec les haricots de la «feijohada», nos alcools, de la compote de «bacuri», l'un de nos fruits typiques, mon seul souci étant de former des groupes homogènes : Cendrars, Léger, Supervielle, Brancusi, Delaunay, Vollard...

Je relis les lettres et billets de cette époque, que je conserve pieusement. Cendrars avait le secret des mots affectueux : «Ma chère petite et grande Tarsila, je suis très content de vous. Vive votre belle peinture!» On pouvait croire à ses paroles, car sa franchise était sauvage. Mais, dans ces messages, il était surtout question des dîners ou déjeuners qu'il organisait pour nous à la Villette ou dans ce restaurant des Halles où était le siège du Club des Cent Kilos. Il nous suppliait de ne pas donner l'adresse des «bistros» où il nous amenait, craignant qu'ils ne soient ensuite envahis par une clientèle américaine. Il avait horreur des lieux d'une élégance standardisée, et déclarait qu'il ne fréquentait que les endroits où l'on faisait bon accueil à sa chienne Volga, dont il ne se séparait jamais.

C'est lui qui a fait de moi, à l'époque, quelqu'un «d'à la page», en me révélant le Paris des artistes et des écrivains vraiment modernes. C'est lui qui me mit en rapports avec l'homme passionnant qu'était Ambroise Vollard. Et c'est encore à lui que je dois un flacon de «huile de Haarlem», remède à tous les maux, d'après lui, dont la recette viendrait du Moyen Age…

C'est en 1924, à l'instigation de mon mari Oswald de Andrade, et sur l'invitation de Paulo Prado, qu'il vint pour la première fois au Brésil. Il devint aussitôt l'ami de notre pays, exerçant une influence certaine sur nos «modernistes».

Témoignage recueilli par Aracy A. Amaral,
Œuvres complètes de Blaise Cendrars,
Tome 15, Club français du Livre, 1970

La métaphysique du café

Prophétique, Blaise a su voir dans les activités de l'humanité, dans ce progrès magnifique et aveugle, dans cette «monoculture» de la terre et de l'esprit, ce qui «bouleverse le cœur de l'homme».

Nulle part au monde je ne fus aussi frappé par la grandeur manifeste d'aujourd'hui et par la beauté immuable de l'activité humaine qu'en débarquant, il y a trois, quatre ans, pour la première fois au Brésil.

Les quais de Rio et de Santos s'étalaient rectilignes et encombrés de marchandises.

Quoi! Tout ce magnifique désordre, ces caisses d'automobiles, ces locomotives en vrac, ces wagons démontés, ces ferrailles, ces machines, ces statuettes de sainte Thérèse-de-l'Enfant-Jésus que l'on introduit par dizaines de mille, ces fûts de vins, ces tonnes d'essence, ces baignoires, ces ballots de papier hygiénique, ces montagnes de gramophones et de haut-parleurs, ces appareils électriques, ces malles pleines de beau linge et de robes rares, de parfums à la mode et de colliers de perles, ces sacs postaux, livres, lettres, journaux venus de tous les pays du monde, ces produits chimiques, ces outils, ces instruments, une grue de 10 000 kilos, un tracteur, une trousse de chirurgien, une turbine de 100 000 watts, quoi! tout cela est sorti d'un grain de café : ces ports, ces villes, ces hommes qui débarquent tous les jours, ces paquebots battant pavillon de vingt-cinq nations différentes, tout cela est le produit direct du café, représente sa force d'attraction et d'échange, sa valeur palpable, sa puissance, sa richesse : quelle énigme! Je n'eus plus qu'une seule envie, celle de remonter au plus vite à la source de cette merveilleuse richesse et d'aller voir, voir de mes yeux, comment elle débordait avec une si furieuse énergie, avec une si furieuse abondance.

J'y fus.

C'était à San Martinho. Un matin. Vers dix heures.

Il faisait une chaleur folle.

Rien ne bougeait. Pas un bruit. Pas un oiseau. L'ami qui m'accompagnait se taisait également.

Les pieds plantés dans la terre rouge je contemplais un colosse reposant sur les collines, une mer émeraude, un océan profond, sombre, taciturne et comme figé : 3-4 millions de caféiers.

Les arbustes plantés en quinconce escaladaient les crêtes par rangs serrés et les rangées d'arbrisseaux reluisaient au soleil comme enduits de caoutchoutine. Trois crêtes, quatre crêtes, cinq crêtes, cela s'étendait à perte de vue, net, propre, dégagé, sans une seule mauvaise herbe.

Quel spectacle!

J'aurais voulu crier d'admiration. Mais trop de grandeur étreint, vous étouffe et vous angoisse.

Je ne trouvais pas une parole.

Alors je me mis à penser vertigineusement…

… Des hommes sont venus. Ils ont mis le feu à la forêt vierge. On a débroussé. On a arraché les souches séculaires. On désherbe. On ameublit le sol pour recevoir par centaines de mille des jeunes plants de caféiers confortablement installés dans leur petit panier de copeau… On travaille. Tous les jours. Trois cent soixante-cinq fois par an on accomplit la même besogne, avec entêtement, minutieusement, en silence. On boute le feu. On débrousse. On plante. Et les plantations s'étendent, s'étendent dans l'intérieur du pays, sur des milliers et des milliers de kilomètres carrés…

Il y avait de quoi avoir le vertige. Quelle est la volonté qui a déclenché ça? quelle est l'intelligence qui dirige ce mouvement d'expansion? qui a inventé des méthodes de culture aussi strictes, aussi sévères? quel est l'œil sensible qui tire les rangées au cordeau et qui distribue les masses de verdure avec un sentiment si parfait du beau?… Est-ce l'œuvre d'un seul homme et non pas plutôt une lente conquête de l'esprit humain qui s'entoure d'ordre et d'harmonie dans sa lutte contre la nature?…

… Et pourquoi tant de café? Est-ce que l'humanité ne pouvait pas se passer d'une nouvelle toxine et à quoi correspond ce besoin d'intoxication de l'histoire? N'est-ce qu'un simple vice particulier ou, au contraire, une idiosyncrasie propre au genre humain, une nécessité, un besoin inéluctable de récupérer les déperditions ou de stimuler les forces de plus en plus vives, de plus en plus aiguës du cerveau?…

Des hommes sont venus, humbles, taciturnes, pauvres, des hommes de tous les pays, des hommes de toutes les races. Ils travaillent. Ils plantent du café. Qu'est-ce qui retient ces hommes ici et les fait se soumettre à une nouvelle

La Ford avec laquelle Cendrars parcourut les plantations et le Sertao brésiliens.

discipline? Est-ce l'abrutissement, le surmenage ou le seul appât du gain? Et pourquoi ne pas imaginer qu'ils regardent avec un juste orgueil les plantations s'étendre, l'arbuste grandir, la plante fleurir, le fruit mûrir, le grain tomber à terre?

Cette cerise de café contient deux grains. Celui-ci, replanté fera pousser un nouveau gratte-ciel dans la bonne ville de São-Paulo, et celui-là, exporté, rapportera d'Europe un peu plus de confort et de luxe. Oui, de luxe, même au plus pauvre colon.

C'est fatal.

On commence par un petit compte en banque, puis les idées changent et les habits. Une Ford attend devant la porte et l'on achète un premier livre. On fait du sport, du football ou autre chose, on a des loisirs et, tout à coup, on se découvre une nouvelle façon d'être et de sentir. On réagit. On entre dans la vie consciente et l'horizon s'élargit. C'est ainsi que se constituent les nouvelles démocraties du monde.

En Nouvelle-Zélande et au Canada, à la Nouvelle-Orléans, et aux Indes, en Egypte, à Java, en Chine, à Cuba, au fin fond de l'Argentine, partout où il y a un centre mondial de production, partout où la monoculture a introduit des méthodes nouvelles qu'aucune théorie classique, qu'aucune idéologie n'avaient su prévoir, partout, la monoculture, en bouleversant le relief du sol, la faune et la flore, elle a également bouleversé le cœur de l'homme. Qu'il s'agisse de blé, de maïs, de coton, de caoutchouc, de soie, de riz, de thé, de fruits ou de légumes, d'élevage ou de frigo, de tabac, de cacao, de sucre et, au Brésil, surtout de café, partout le progrès, la richesse, les transformations matérielles vont de pair avec une progression morale, une évolution rapide de la société et une conception nouvelle de la civilisation, de la démocratie, du citoyen et de ses droits.

C'est en ce sens que le café est une entité métaphysique, au même titre que les autres produits de la terre et tout le labeur de l'homme.

Blaise Cendrars,
Brésil, des hommes sont venus,
Rio de Janeiro, 1er septembre 1927;
Les Documents d'Art, Monaco, 1952

Aix-en-Provence et Saint-Segond

«Je vis tout seul comme jamais je n'ai été seul, c'est difficile de m'abstraire des événements et d'être inspiré», écrira Blaise, exilé à Aix en 1940 pendant la guerre. Pourtant, dans des conditions de vie très dures, il se remet au travail en 1943, après trois années de silence. Avec Raymone et Jacques-Henry Lévesque, il correspond régulièrement. En 1948, il rompt la solitude, à Saint-Segond, entouré d'admirateurs et d'amis.

Jacques-Henry Lévesque et Blaise Cendrars à Saint-Segond en 1949.

A Jacques-Henry Lévesque, confident, disciple et Ami

Ils se sont rencontrés en 1918. Jacques-Henry avait 19 ans. Il devint écrivain et souvent «assistant» de Blaise, qui lui révèle les secrets de son travail.

samedi 24 juin 44 – Aix-en-Provence

Mon cher Jacques,

Ici, on s'attend à un débarquement. Ça n'est pas exclu et la Provence sera ravagée comme la Normandie. Si le moment est venu de vous dire adieu, alors adieu, Jacques! Je ne bougerai pas d'ici et ne voudrais pas rater une si belle occasion de quitter la vie. En attendant je travaille. La *Rhapsodie* est bourrée de personnages bien vivants. J'en bourre dans tous les coins, il n'y aura rien de «flottant» dans cette histoire-là. C'est plein, compact, et plusieurs personnages sont connus, et je dis leur nom. *Le Vieux-Port* contenait trop d'enthousiasme. La *Rhapsodie* n'a de la musique que dans le titre. Il y a en tout une seule envolée au milieu du récit : la grand route, du Tremblay au fin fond du Brésil. Tout le restant c'est du pain cuit, bien cuit. J'aurai fini dans une quinzaine si Dieu le veut. Je vous embrasse. Blaise.

samedi soir 16 juillet 44 – Aix

Je n'ai pas travaillé la semaine dernière alors que j'avais préparé une bonne semaine de travail et pensais terminer la *Rhapsodie*. Mais j'ai été assez mal foutu (surmenage) et puis, la *Rhapsodie* m'avait amené à un point tellement scabreux que je n'étais nullement pressé de sauter le pas pour jouir plus longtemps d'un certain vertige qui m'avait pris. C'était assez curieux comme sensation intellectuelle. Quelque chose dans le genre de ce que raconte Poe au début d'*Eurêka* quand arrivé au sommet de l'Etna il voudrait pivoter sur le talon gauche pour pouvoir arriver à saisir les autre points cardinaux d'un seul coup, bref embrasser tous les horizons. Cette image géographique ou tellurique correspond assez exactement à la sensation où je me suis complu, sauf que mon état était d'ordre spirituel. Je me remets au travail demain matin, et je crois que j'en aurai encore pour un bon bout de temps.

12-19 décembre 44 – Aix

… Depuis une huitaine déjà je me suis mis à un nouveau bouquin : *La Main coupée*… Je travaille comme un possédé, peut-être pour me réchauffer car je n'ai pas de feu et il fait un temps détestable. Mais taper à la machine réchauffe le bout des doigts et écrire 12-14 heures par jour comme je le fais congestionne le cerveau au point que je ne sens pas le froid.

vendredi 22 décembre 44 – Aix

Mon cher Jacques,

Je suis bien content que vous ayez reçu la *Rhapsodie III*. Vous ne pouvez pas vous rendre compte de la composition du livre tant que vous n'avez pas lu la IV où tous les personnages du livre et les thèmes traités viennent s'éteindre, mourir ou s'apaiser les uns après les autres sur un grand point d'orgue qui vous est nominativement dédié et qui entame cette IVe (et dernière!) *Rhapsodie*. – Je ne vous l'envoie pas encore car j'ai des petites choses à corriger, à serrer, à préciser comme vous avez pu en voir beaucoup d'exemples – dans mes précédentes corrections à la main. Beaucoup de ces petites choses ne me seraient pas venues à l'esprit si je ne vous avais connu, mon cher Jacques, et tenu à vous faire plaisir. Ceci dit en toute simplicité. La IV est la meilleure. *La Main Coupée* avance avance. Je suis crevé. – Bonnes fêtes! Blaise.

21 mars 1945 – Aix

… *La Main coupée* va bon train. Je suis mon programme d'assez près. Aucun problème de style. Aucun lyrisme. Toute mon attention est portée sur la composition du récit. Je voudrais arriver à faire plus vrai que vrai. Je suis assez content jusqu'à présent. Mes bonshommes sont dépouillés de toute gloriole ou vantardise, ce qui n'est pas toujours commode, vu le genre du récit et son sujet : la Guerre. Mais je crois pouvoir y arriver. C'est, comme vous dites, un tour de force. Ma main, Blaise.

lundi 6 août 45 – Aix

Mon cher Jacques,

Oui, si les hebdos publient tout ce que je leur ai adressé, fragments qui représentent un bon tiers du livre, *L'Homme foudroyé* ne sera en rien défloré, et la surprise sera entière à la parution du bouquin! Et cependant je n'ai pas tripatouillé ces fragments dont certains sont même très longs. Cela tient à la composition en contre-point de ce livre et au rôle qu'y joue «le temps» – chaque histoire ou chaque fragment d'histoire peut faire une nouvelle «détachée» et ce n'est que dans le livre qu'elles font un «tout». J'ai tellement battu les cartes que dans la version finale du bouquin tout pourrait encore y être interverti sur une ultime épreuve sans que rien ne soit changé. C'est que je suis maître du temps. Et c'est pourquoi mon bouquin n'est pas linéaire mais se situe dans la profondeur. Et c'est pourquoi j'en suis content – Mais j'en ai marre …

Ah zut – Ma main. Blaise.

mercredi 19 septembre 45 – Aix

Mon cher Jacques,

Un télégramme m'annonce que *L'Homme Foudroyé* a paru. Tout arrive. Il paraît qu'ils ont fait figurer le mot «roman» sur la couverture. Je m'en fiche pas mal. Je vous embrasse. Blaise.

jeudi 20 septembre 45 – Aix

Mon cher Jacques,

… Ces grenouilles – Vox m'a télégraphié parce qu'ils ont mis le mot «roman» sur la couverture. Si encore ils l'avaient mis au pluriel! Mais ce pluriel aussi les aurait épouvantés. Naturellement, ils ne m'avaient pas envoyé l'épreuve de la couverture que j'ai réclamée trois fois. Ils se sont dépêchés de tirer et après ils me demandent mon avis n'ayant pas la conscience tranquille. Je leur ai télégraphié 0-K car je m'en fous. Ma main. Blaise.

Mon seul tort c'est de ne pas être sur place. Mais de ne pas être sur place fait ma santé.

Lettres extraites de «J'écris. Ecrivez-moi». Correspondance de Blaise Cendrars et Jacques-Henry Lévesque, 1924-1959. Etablie par Monique Chefdor, Denoël, 1991

Naissance d'une amitié

F.-J. Temple, né en 1921, poète, écrivain, anima la station de l'ORTF de Montpellier. Cendrars reconnut en lui un «jeune authentique» : ce fut une amitié coup de foudre, durable et féconde.

En ce temps-là, je tentais de sortir de l'ornière une petite revue locale, en sollicitant la collaboration d'écrivains connus. Les plus grands seuls répondirent. Blaise Cendrars m'adressa sur-le-champ «Le ravissement d'amour», futur chapitre du *Lotissement du ciel* alors en chantier; il joignit à ce royal cadeau une invitation à me rendre à Villefranche. Un jour d'été 1949, je lui annonçai ma visite, et un ami qui partait vers l'Italie me déposa près du port. C'était la bamboula américaine : des unités USA mouillaient dans la rade, le port regorgeait de filles et de marins rigolards. Mais la villa Saint-Segond, à flanc de colline, était sourde au vacarme.

Il me fallut gravir sous la canicule un raidillon empourpré de bougainvillées, dans la fragrance des géraniums. Un portail s'ouvrit sur une vision de brousse et, au terme d'une allée, je me trouvai, trempé de sueur, à la porte de Cendrars. A l'étage, surgit un torse puissamment armé d'une tête de flibustier : un instant plus tard je serrais la fameuse «main amie», qui en valait bien quatre.

L'homme était bien là, tel qu'en moi-même je l'avais modelé, avec son teint de jambon fumé, sa peau plissée, son œil vif de pachyderme qui me scrutait. Seule me surprit cette voix traînante. Et ce moignon célèbre qui s'agitait. Blaise voulut que je me change et m'installa au soleil pour que je ne prenne pas froid. Son regard clair, indéfinissable en cet instant, pigmenté d'un soupçon d'ironie douloureuse, se posa sur cette manche de sa propre chemise occupée maintenant par mon bras droit, puis fut distrait par l'arrivée de Raymone porteuse de boissons. Cendrars confectionna son breuvage favori : vin blanc, citron et sucre. Le chien Wagon-Lit folâtrait autour d'un chat microscopique, «bâtard d'un seigneur des gouttières et d'une siamoise ». «Savez-vous, me dit Blaise, que le siamois est le produit du triple mariage du singe, du lapin et du chat?» Et nous voici partis pour le Brésil, l'Amérique, l'Afrique – «du monde entier au cœur du monde».

Le lendemain, je remontais à Saint-Segond, la chemise à nouveau trempée. Cendrars m'accompagna à la salle de bains. Sur la terrasse ombreuse où ramageait un mince jet d'eau, la table était mise, occupée par un gros quartier de viande escorté de bouteilles. Cendrars ne cessait de relancer un bout de bois à Wagon-Lit. Et il racontait. Il avait du travail pour dix ans, disait-il, et cette évaluation s'avéra, après coup, terriblement prophétique : pendant dix ans, Blaise Cendrars labourera le champ fertile de ses souvenirs et de son imagination, avant de franchir les portes de la mort. Lorsque, revenant des Etats-Unis, au début de 1961, je lui apporterai le salut de son ami Jacques-Henry Lévesque, c'est le front déjà glacé d'un homme foudroyé que j'embrasserai pour la dernière fois. Sa mort suivra de peu. Mais je veux l'oublier.

Je préfère me retourner vers Saint-Segond, vers cette journée qui fut l'aube d'une amitié, lorsque Cendrars, vigoureux et fécond, racontait par exemple comment un article héroï-comique lui ayant attiré les faveurs du roi George VI d'Angleterre, il était resté longtemps courbé devant un souverain submergé de timidité, incapable tant il bégayait, de formuler les mots bienveillants dont il voulait honorer l'écrivain.

Blaise racontait, tandis que nous marchions à travers son «Brésil», cette brousse de palmiers sauvages, d'eucalyptus et de plantes grasses serpentiformes où, naguère, des bassins aujourd'hui secs abritaient crocodiles et tortues d'eau parmi le vacarme des singes hurleurs. Il me parlait d'un film qu'il avait tourné, au vrai Brésil, sur l'envoûtement d'un tapir par un

Blaise Cendrars devant ses livres, en 1956, photographié par Robert Doisneau.

anaconda et son ingurgitation méthodique : il me confia que le puma est victime de sa sexualité – dès qu'il flaire l'homme, ce petit félin accourt et s'accroche à ses pas.

Nous étions au portail, et, devant la route qui flambait, Cendrars me raconta la dernière histoire de la journée : un jour, dans une piscine d'Aix, il avait plongé sur le crâne d'un homme qui n'était revenu à lui qu'après d'énergiques mouvements respiratoires – c'était Franklin D. Roosevelt…

F. J. Temple,
Témoignage,
Œuvres complètes de Blaise Cendrars,
Tome 12, Club français du Livre, 1971

BIBLIOGRAPHIE

Etudes sur Blaise Cendrars

Nous donnons ici les principaux et les plus récents ouvrages parus.

- Bonnefils, Philippe, *Cendrars phonographe*, PUF, Paris, 1992.
- Bozon-Scalzitti, Yvette, *Blaise Cendrars ou la passion de l'écriture*, L'Age d'homme, Lausanne, 1977.
- Cendrars, Miriam, *Blaise Cendrars*, Balland, Paris, 1993 (édition de 1984 revue et augmentée).
- Cendrars, Blaise-Lévesque, Jacques-Henry, *«J'écris. Ecrivez-moi». Correspondance, 1924-1959*, établie par Monique Chefdor, Denoël, Paris, 1991.
- Cendrars, Blaise-Miller, Henry, *Correspondance*, établie par Miriam Cendrars. Introduction de F.-J. Temple, notes de Jay Bochner, Denoël, Paris, 1995.
- Cendrars, Blaise, *En bourlinguant*… Entretiens avec Michel Manoll radiodiffusés en 1950, choix et montage par Miriam Cendrars. INA, Radio France, Harmonia Mundi, Paris, 2 disques compacts, 1995.
- Eulalio, Alexandre, *A Aventura brasileira de Blaise Cendrars*, édition en portugais revue et corrigée par Carlos Augusto Calil et Maria-Teresa de Freitas, São Paulo, EDISUP, 1996.
- Flückiger, Jean-Carlo et Leroy, Claude (sous la direction de), *Cendrars, le bourligueur des deux rives*, Actes du colloque du Centre culturel suisse, Armand Colin, Paris, 1995.
- Goldenstein, Jean-Pierre, *19 Poèmes élastiques de Blaise Cendrars*, édition critique, Méridien Klincksieck, Paris, 1996.
- Jaton, Anne-Marie, *Blaise Cendrars*, Slatkine, Genève, 1991.
- Leroy, Claude (sous la direction de), *Cendrars et la guerre*, Actes du colloque de Péronne, Armand Colin, Paris, 1995.
- Leroy, Claude (sous la direction de), *Cendrars et le lotissement du ciel*, Armand Colin, 1995.
- Leroy, Claude, *La Main de Cendrars*, Presses universitaires de Lille, 1996.
- Miller, Henry, *Blaise Cendrars*, Denoël, Paris, 1951. Repris dans *Correspondance de Blaise Cendrars et Henry Miller*, Denoël, Paris, 1995.

Publications spécialisées

- *Blaise Cendrars*. Collection dirigée par Monique Chefdor et Claude Leroy. Lettres modernes, Minard. N° 1 *Les Inclassables*, 1986. N° 2 *Cendrars et l'Amérique*, 1989. N° 3 *Bourlinguer à Méréville*, 1991.
- *Continent Cendrars*. Revue annuelle du Centre d'études Blaise Cendrars (C.E.B.C.) de Berne. N° 1 à 7 : éditions La Baconnière, Neuchâtel. N° 8 et la suite : éditions Champion-Slatkine, Genève.
- *Cahiers Blaise Cendrars : C.E.B.C.*, La Baconnière et Champion-Slatkine; 4 volumes parus.
- *Feuille de routes*. Bulletin de l'Association internationale Blaise Cendrars (Présidente : Michèle Touret). Bisannuel. 31 numéros parus.
- «Blaise Cendrars», revue *Europe*, n° 566, juin 1976, réédition 1995.

Une bibliographie générale complète des œuvres de Cendrars a été établie en 1965 par Hughes Richard : voir *Œuvres complètes de Blaise Cendrars*, Denoël, Paris, tome VIII.

TABLE DES ILLUSTRATIONS

CHAPITRE I

CHAPITRE II

La Fin du monde filmée par l'ange Notre-Dame illustrée par Fernand Léger, 1917. Coll. Miriam Cendrars.
50g Le Groupe des Six : (de gauche à droite et de haut en bas : Darius Milhaud, Arthur Honegger, Louis Durey, Francis Poulenc, Jean Cocteau et Germain Tailleferre). Archives de la fondation Erik Satie.
50d Portrait de Philippe Soupault par Man Ray.
51 Blaise Cendrars, assistant d'Abel Gance sur le tournage de *La Roue*, 1920. Coll. Nelly Kaplan.
52-53 Blaise Cendrars in *La Roue* d'Abel Gance, 1920.
54h Blaise Cendrars, *L'ABC du cinéma*, couverture, 1919. Bibliothèque nationale, Paris.
54b *La Rose Rouge*, couverture de la revue, 1919. Bibliothèque nationale, Paris.
55m Féla, Odilon, Rémy (à gauche) et Miriam Cendrars en 1922. Coll. Thomas Gilou.
55b Gravure de Pierre Pinsard pour les *Petits Contes nègres pour les enfants des Blancs* de Blaise Cendrars, 1921. Bibliothèque nationale, Paris.

CHAPITRE III

56 Blaise Cendrars et Raymone Duchâteau au Tremblay-sur-Mauldre, 1928. Coll. Thomas Gilou.
57 Signature autographe de Blaise Cendrars. Coll. Miriam Cendrars.
58 Blaise Cendrars et son Alfa Roméo au Tremblay-sur-Mauldre. Coll. Thomas Gilou.
59h Blaise Cendrars, *Kodak (Documentaire)*, couverture, 1924. Bibliothèque nationale, Paris.
59b Le Corbusier et sa femme, Fernand Léger et Blaise Cendrars au Tremblay-sur-Mauldre. Coll. Thomas Gilou.
60h Fernand Léger, étude pour *La Création du monde*, 1924. Musée Fernand Léger, Biot.
60b Fernand Léger, étude pour *La Création du monde*, 1924. Musée Fernand Léger, Biot.
61h Fernand Léger, projet de décor pour *La Création du monde*, 1923. Coll. Guy Loudmer, Paris.
61b Blaise Cendrars, Rolf de Maré, Darius Milhaud, Fernand Léger, Jean Börlin réunis pour le ballet *La Création du Monde*, 1923. Dansmuseet, Stockholm.
62 1924, Blaise Cendrars embarque pour le Brésil sur le Formose. Coll. Thomas Gilou.
63h Olivia Guedes Penteado, Blaise Cendrars, Tarsila do Amaral, Noné et Oswald de Andrade dans la fazenda Santo Antonio, 1924. Archives famille da Silva Telles.
63b Blaise Cendrars, *Feuilles de route*, illustration de Tarsila do Amaral, 1924. Bibliothèque nationale, Paris.
64 *La Flagellation du Christ*, sculpture de Antonio Francisco Lisboa, dit O Aleijadinho (1730-1814), Conghonas, Minas Gerais, Brésil.
65h Carte publicitaire de la Compagnie Radio Maritime. Coll. Miriam Cendrars.
64-65 Extrait de journal annonçant l'arrivée de Blaise Cendrars au Brésil.
66h Portrait de Paul Prado. Coll. Miriam Cendrars.
66bg Dessin de Conrad Moricand pour *Moravagine*. Bibliothèque nationale suisse, Berne.
66bd Signature de *Moravagine* par Moricand. Bibliothèque nationale suisse, Berne.
67h Blaise Cendrars, Vera et Igor Stravinski et Raymone Duchâteau en route pour Biarritz, 1931. Coll. Thomas Gilou.
67b Raymone Duchâteau, Blaise Cendrars, Eugenia Errazuris et Igor Stravinski à Biarritz, août 1929. Archives musicales de la fondation Paul Sacher, Bâle.
68 Blaise Cendrars sur le pont du Normandie, 1924. Photo de Roger Schall.
69h Page de titre du manuscrit du *Plan de l'aiguille*. Coll. Miriam Cendrars.
69b Colette sur le Normandie, 1924. Photo de Roger Schall.
70 Affiche publicitaire de *Rhum*, 1930. Bibliothèque nationale suisse, Berne.
71h Affiche publicitaire du *Plan de l'Aiguille*, 1929. Bibliothèque nationale suisse, Berne.
71b Affiche publicitaire des *Confessions de Dan Yack*, 1929. Bibliothèque nationale suisse, Berne.
72h Blaise Cendrars, *Hollywood, La Mecque du cinéma*, illustration de Jean Guérin, 1936. Coll. Miriam Cendrars.
72b Affiche de l'adaptation cinématographique américaine de *L'Or, Sutter's Gold*, 1936.
70 Elisabeth Prévost dans son domaine des Ardennes, 1937. Coll. part.
74 Mai 1940, l'exode sur les routes du nord de la France.
75 Blaise Cendrars, correspondant de guerre à bord du *His Majesty's Royal Navy*, 1940. Coll. Miriam Cendrars.

CHAPITRE IV

76 Blaise Cendrars à Saint-Segond, 1947. Photographie de Robert Doisneau.
77 Blason de la famille Sauser, Sigriswill, Suisse.
78h Blaise Cendrars, *Chez l'armée anglaise*, couverture, éditions Corrêa, 1940.

TÉMOIGNAGES ET DOCUMENTS

INDEX

A

CRÉDITS PHOTOGRAPHIQUES

© ADAGP, Paris 1996 110. APN/Novosti, Paris 25h, 26. Archives famille da Silva Telles/cliché Frédéric Pagès, Montreuil 63h. Archives de la fondation Erik Satie, Paris 50g. Archives Larousse/Giraudon, Paris 45. Archives littéraires suisses/Marcel Amson 96. Archives musicales de la fondation Paul Sacher, Bâle 67b. Archives Nyarkos Treillard/© ADAGP, Paris 1996 50d. Bibliothèque de documentation internationale contemporaine, Paris 74. Bibliothèque de La Chaux-de-Fond 16-17. Bibliothèque nationale, Paris 54h, 54b, 55b, 59h, 63b. Bibliothèque nationale, Paris/© ADAGP, Paris 1996 44b. Bibliothèque nationale, Paris/© ADAGP-SPADEM, Paris 1996 47. Bibliothèque nationale suisse, Berne 66bg, 66bd, 70, 71h, 71b, 72b, 100. Bibliothèque nationale suisse, Berne/Miriam Cendrars 27, 32. Bibliothèque nationale suisse, Berne/Jean-Louis Delaunay, Paris 2, 3, 4, 5, 6, 7, 8, 9, 10, 11, 43b. Bibliothèque nationale suisse, Berne/© SPADEM, Paris 1996 44h. Cahiers du cinéma, Paris 52-53. Coll. Miriam Cendrars, Boulogne 16 , 23h, 29, 35h, 35b, 37, 38d, 48h, 48, 49g, 57, 65h, 66h, 69h, 72h, 75, 80h, 80b, 83h, 86-87, 91h, 97, 101, 112d, 115, 117. Coll. Miriam Cendrars/© ADAGP-SPADEM, Paris 1996 49d. Coll. Miriam Cendrars/D. R. 84b, 94. Dansmuseet, Stockholm 61b. Jean-Louis Delaunay, Paris 101. Robert Doisneau/Rapho, Paris 76, 79, 81, 83b, 90, 91, 119. D. R. 1er plat haut, 24h, 30b, 38g, 64, 64-65, 70, 77, 82, 84h, 86b, 102-103, 106. Editions Buchet-Chastel, Paris 78h. Gallimard/Françoise Foliot, Paris 43h. Gama Junior, São Paulo 88-89. Coll. Thomas Gilou, Chaville Dos, 4e plat, 12, 14, 17, 19, 20, 20-21, 23b, 25b, 28, 33 , 36, 46, 55m, 56, 58, 59b, 62 , 67h, 96, 98, 112g. Giraudon/Jean-Louis Delaunay, Paris 41. Giraudon/© ADAGP-SPADEM, Paris 1996 40. Coll. Nelly Kaplan, Paris 51. Musée Fernand Léger, Biot/RMN, Paris/© ADAGP-SPADEM, Paris 1996 60h, 60b. Coll. Guy Loudmer, Paris/© ADAGP-SPADEM, Paris 1996 61h. Coll. Albert Mermoud, Lausanne 78b, 85. Simone Oppliger, Cully, Suisse 15. Frédéric Pagès, Montreuil 88h. Paris-Match/Jarnoux, Paris 95. Irving Penn/Condé Nast 89. Coll. Michel Rœthel, Paris 22h. Roger-Viollet, Paris 1er plat bas, 21, 22b, 24b, 28-29, 31, 92 , 93. Roy Export Company Establishment, Paris 30m. Roger Schall, Paris 68, 69b. Coll. C. di Somma, Naples 18. Stedelijk Van Abbemusuem, Eindhoven, Hollande/© ADAGP, Paris 1996 42. Underwood Photo Archives Ltd., San Francisco 34. La Vie du rail, Paris 105. Coll. Jeanine Warnod, Paris 39.

REMERCIEMENTS

Miriam Cendrars remercie tous les chercheurs, étudiants, lecteurs qui contribuent à la connaissance de la vie et de l'œuvre de Cendrars.
L'éditeur remercie Marius Michaud et Thérèse Lathion de la Bibliothèque nationale suisse de Berne, Carlos Augusto Calil, Jean-Pierre Dauphin, Francine Deroudille et Jean-Carlo Flückiger pour leur collaboration à la recherche iconographique.

ÉDITION ET FABRICATION

DÉCOUVERTES GALLIMARD
DIRECTION Pierre Marchand et Elisabeth de Farcy.
GRAPHISME Alain Gouessant. FABRICATION Violaine Grare. PROMOTION-PRESSE Valérie Tolstoï.

BLAISE CENDRARS, L'OR D'UN POETE
EDITION Cécile Dutheil de la Rochère. MAQUETTE Valentina Lepore et Dominique Guillaumin (Témoignages et Documents). LECTURE-CORRECTION François Boisivon et Jocelyne Marziou. PHOTOGRAVURE Arc-en-Ciel. MONTAGE PAO Paragramme.

Table des matière